Arquitetura, sexualidade e mídia

Beatriz Colomina

Arquitetura, sexualidade e mídia

Beatriz Colomina

Tradução
Marian Rosa van Bodegraven

Organização
Marian Rosa van Bodegraven e Marianna Boghosian Al Assal

6 **Apresentação**
Marian Rosa van Bodegraven
Marianna Boghosian Al Assal

14 **Ainda escrevendo**
Prefácio por Beatriz Colomina

18 **A parede cindida: voyeurismo doméstico**
The Split Wall: Domestic Voyeurism

84 **O século da cama**
The Century of the Bed

96 **Interioridade radical: arquitetura playboy 1953-1979**
Radical Interiority: Playboy Architecture 1953-1979

106 **Observar, descrever, questionar:**
entrevista com Beatriz Colomina
Gilberto Mariotti, Ligia Zilbersztejn,
Marian Rosa van Bodegraven e Marianna Boghosian Al Assal

132 **Fontes, personagens e olhares: diálogos brasileiros**
com a obra de Beatriz Colomina
Posfácio por Sabrina Studart Fontenele Costa

Apresentação

Marian Rosa van Bodegraven

Marianna Boghosian Al Assal

APRESENTAÇÃO

Embora tema inescapável pelo menos desde a década de 1980, a bibliografia sobre arquitetura e sexualidade é muitas vezes difícil de tatear para leitores exclusivos do português ou estudantes de graduação em arquitetura e urbanismo no Brasil. Ela não costuma aparecer no primeiro plano, principalmente comparada à historiografia clássica sobre arquitetura moderna. Apesar de um vasto legado de profissionais de diversos campos que contribuíram para a expansão deste tema no campo da arquitetura, nacional e internacionalmente, sua relativa proscrição reflete, de certa maneira, uma contradição do campo o qual, embora projete para pessoas, muitas vezes oblitera o papel central que as subjetividades humanas assumem num projeto de arquitetura, não indo muito além dos parâmetros funcionais de um corpo, usados como medidas projetuais, ou de parâmetros estéticos a serem inculcados.

Beatriz Colomina – nascida em Madri e formada arquiteta com doutorado pela Universidade Politécnica de Barcelona, antes de mudar-se para os Estados Unidos e fundar o programa "Mídia e Modernidade" na Universidade de Princeton, onde segue atuando – tornou-se uma das precursoras na introdução da relação entre sexualidade e arquitetura, desafiando esse esquecimento e trazendo as muitas subjetividades corporais sobre a quais escreve, como fatores centrais à arquitetura. Mas a importância de suas reflexões e proposições como método, objeto, forma e fontes, ao abordar arquitetura e espaço, vai muito além. Suas principais pesquisas orbitam ao redor dos temas corpo, sexualidade, mídia, arquitetura e tecnologia. Sua obra desafia leituras tradicionais de produções canônicas da arquitetura moderna, ao passo que propõe uma revisão historiográfica usando metodologias pedagógicas radicais. Por meio de sua prática interdisciplinar, Colomina abre caminhos importantes para complexificar o debate sobre o cenário atual dos campos arquitetônico e artístico.

Apesar do pioneirismo de sua pesquisa, a presença de suas publicações no Brasil ainda é bastante tímida. Quando encontradas circulando entre as produções acadêmicas, são muitas vezes aquelas que endereçam as relações entre domesticidade e gênero, ainda assim, em inglês. Dos ensaios que compõem a presente coletânea, apenas *A parede cindida: voyeurismo doméstico* havia sido parcialmente traduzido há alguns anos na revista *Serrote* como *A parede vazada: voyeurismo doméstico*.[1]

Este volume – o primeiro em português dedicado exclusivamente à autora; e contendo três de seus ensaios seminais (*A parede cindida, voyeurismo doméstico, O século da cama* e *Interioridade radical: arquitetura playboy 1953-1979*), além de uma entrevista inédita – parte assim do reconhecimento da importância de tradução de seus textos para o português, e do desejo de fortalecer a ponte entre os debates sobre sexualidade, arquitetura e mídia propostos por Beatriz Colomina, bem como o estudo e prática da arquitetura no Brasil. Busca-se, dessa maneira, maior alcance de tais debates no campo, diante dos novos rumos que as discussões sobre sexualidade e gênero vêm tomando nas faculdades de arquitetura, em decorrência da maior presença e socialização desses debates nas mídias tanto especializadas quanto de difusão mais ampla, motivados inclusive por movimentos sociais em curso.

Colomina apura essa relação entre sexualidade, arquitetura e mídia como veículo para uma experiência e desenho dos espaços com base na compreensão e por vezes transgressão de lógicas normativas, reforçando (ou deslocando) papéis de gênero em estruturas dominadoras que guiaram e seguem guiando projetos de espaços, ao passo que também acompanha e introduz uma expansão do termo *interioridade*.

A natureza de seus textos é internacional e poliglota. Ainda que com grande foco nos períodos de guerra e pós-guerra no norte global, sua escrita atravessa diferentes períodos históricos, países e culturas. Por conta disso, incorpora expressões pertencentes a cada idioma referente ao assunto em questão, de maneira que melhor os represente. Em seu texto *A tarefa do tradutor*,[2] Walter Benjamin

---

1   COLOMINA, Beatriz. A parede vazada: voyeurismo doméstico. *Serrote*. São Paulo, n. 14, p. 73-93, jul. 2013.

2   BRANCO, Lucia Castelo (org.). *A tarefa do tradutor, de Walter Benjamin: quatro traduções para o português*. Belo Horizonte: UFMG, 2008.

nos convida a emprestar os idiomas uns aos outros, em vez de tentar buscar a palavra que mais representaria a original. Benjamin entende que cada idioma é insubstituível, mas, ao mesmo tempo, mutável. É com isso em mente que a presente tradução buscou emprestar e emprestar-se aos diversos idiomas presentes nos textos de Colomina. As expressões de cunho arquitetônico acompanham contextualização, mas não uma busca por uma literalidade em português que as substituiriam.

Da mesma forma que entende que palavras são insubstituíveis, Colomina considera as outras camadas de leitura de um texto essenciais. Assim, incorpora notas de rodapé e imagens numa hierarquia de igual importância para a compreensão dos textos, porém ainda assumindo suas diferenças. As imagens estão entrelaçadas com o conteúdo textual de modo fundamental e não apenas ilustrativo – são também uma narrativa. Na entrevista ao final do livro, Colomina afirma que "pensa através de imagens", deixando nítido como funciona seu processo de trabalho: imagens não são apenas o seu ponto de partida, mas a forma pela qual se comunica, intrínseca aos textos.

Em alguns momentos desta publicação, será possível notar que alguns trechos se repetem em diferentes textos. Essa reciclagem de conceitos mostra que não apenas o conteúdo da escrita de Colomina desafia lógicas vangloriosas da arquitetura moderna, mas que seu processo de trabalho também questiona a lógica de um estudo acadêmico como um produto final hermético, e não como um processo. Sua escrita não é engessada, mas assume um estado de constante transformação, que retorna à superfície trazendo uma leitura atualizada e novos paradigmas a serem enfrentados. Com isso, foi decidido que a repetição não idêntica das notas de rodapé que estão vinculadas aos trechos duplicados também ocorreria, o que permite que a leitura dos textos possa ser feita de modo não sequencial, tendo sua ordem definida não por uma cronologia de publicação, mas pelos desejos e necessidades que aparecem ao longo da leitura.

Esse gesto de revisão retrata também um dos principais métodos que Colomina utilizou no ensaio *A parede cindida: voyeurismo doméstico*, o da pesquisa sistemática e retorno aos acervos.

Colomina frequentou tanto o arquivo do Museu Albertina, em Viena, na Áustria, como a Fundação Le Corbusier, em Paris, na França. Essa estratégia, que marca o início de suas pesquisas ainda no doutorado, mas também percorre sua obra é essencial para entendermos como Colomina busca na produção dos arquitetos Adolf Loos e Le Corbusier as contradições presentes em suas obras, tanto nos espaços projetados como nos textos, registros e retratos – entendidos em si também como arquiteturas. Assim, ao navegar nos arquivos de textos, desenhos técnicos, imagens das obras concluídas e *stills* de cenas de filmes produzidos pelos dois arquitetos, Colomina traça importantes relações entre os contextos sociais e subjetivos em que se encontravam e como isso se reflete tanto em seus projetos como nas imagens que pretendem construir de si e de suas obras. Ao mesmo tempo, aponta contradições entre o discurso dos arquitetos e o que de fato resultava em suas produções. Colomina não o faz de modo a invalidar a contribuição das duas figuras para o campo da arquitetura, mas complexificando uma visão historiográfica da arquitetura moderna, entendendo-a não como um objeto de pesquisa intocável, a ser mantido em um pedestal, mas como uma bricolagem de seu tempo, que também possui problemas que precisam ser desconstruídos para que caminhemos em novas direções no campo, vencendo vícios projetuais que ainda persistem na produção arquitetônica contemporânea

Este ensaio faz parte do livro intitulado *Sexuality and Space*,[3] organizado pela própria Colomina, que é fruto de um simpósio e contém doze ensaios de autorias diversas, que se tornaram leituras seminais para os campos artístico, arquitetônico, cinematográfico, semiótico e estético. Na introdução do livro, Colomina inaugura a publicação comentando sobre uma mudança estrutural que havia acontecido recentemente na Universidade de Princeton: uma nova política na universidade reconhecia, para o corpo docente e discente,

---

3   COLOMINA, Beatriz (org.). *Sexuality and Space.* Nova Jersey: Princeton Architectural Press, 1992.

relacionamentos com pessoas do mesmo sexo, garantindo direitos à habitação e outros benefícios oferecidos pela faculdade, o que antes só era oferecido a casais heterossexuais. Com base nisso, Colomina estabelece como novo ponto de partida perguntas e afirmações de extrema pertinência, dentre as quais vale destacar: "As políticas espaciais sempre são sexuais, mesmo se o espaço for central aos mecanismos de apagamento da sexualidade".[4]

Já no caso do segundo ensaio traduzido nesta publicação, a escrita surge de um convite para participar no programa *Curated by Vienna*, evento que articula galerias de arte contemporânea vienenses e curadores internacionais. Uma vez finalizado, *O século da cama* serviu como mote teórico e conceitual para todas as exposições que aconteceram em vinte galerias em Viena, assim como textos e ensaios de outras pessoas, que também compuseram o evento. Fruto desses eventos foi a publicação de mesmo nome,[5] que engloba a produção feita para este programa específico. O texto-base de Colomina, que abre a publicação, procura entender novas maneiras das pessoas se relacionarem com o móvel mais íntimo de suas casas: a cama. Ainda carregando traços de suas pesquisas anteriores que abordam as lógicas de público *versus* privado, Colomina destaca o crescente papel laboral e produtivo que a cama passa a assumir, para além do sexual, íntimo e letárgico. Apesar da interferência e da relação com as novas mídias serem de suma importância para essa nova forma de ocupação da cama, Colomina se refere à cama de Hugh Hefner, editor-chefe da revista *Playboy*, como um marco essencial para a subversão de significado e de papéis que a cama pode assumir.

O terceiro e último ensaio traduzido, *Interioridade radical: arquitetura playboy 1953-1979*, nasce de uma pesquisa conjunta com estudantes de doutorado da Universidade de Princeton, na qual Colomina propôs usar, como material primário de pesquisa, a revista

4   Id. no original: "The politics of space are always sexual, even if space is central to the mechanisms of the erasure of sexuality ".
5   COLOMINA, Beatriz, *The Century of the Bed*. Viena: Verlag für Moderne Kunst, 2014.

Playboy. De abordagem semelhante a seu projeto anterior, *Clip, Stamp, Fold*,[6] que também resultou em uma publicação, a análise e leitura cuidadosa de um grande número de revistas permitiram observar que a *Playboy* funcionou, por muitos anos, como uma matriz popular e massificada para a apresentação e disseminação da arquitetura moderna para um público masculino, durante a Guerra Fria. A revista não apenas socializou textos seminais de filosofia, arte e cultura, mas também produções de arquitetura e design contemporâneas. Isso está vinculado ao retorno do homem heterossexual estadunidense a casa, após a Segunda Guerra, não apenas como o marido, mas como agente de transformação do espaço arquitetônico doméstico.[7] Também graças à revista, o homem casado passou a se interessar pelo ambiente doméstico, ainda que o encarando quase como um parque de diversões adulto, atendendo a seu bel-prazer, e nada relacionado ao trabalho doméstico, que permaneceu sob encargo da mulher. Essa pesquisa coletiva resultou em uma exposição no NAI Maastricht (atual Bureau Europa), sobre a relação entre a arquitetura e a revista *Playboy*. Na ocasião, em 2012, os ensaios escritos por estudantes e por Colomina foram publicados pela revista *Volume*, nº 33, matriz da tradução desta publicação.[8]

O quarto texto, a entrevista *Observar, descrever, questionar*, é fruto de uma feliz coincidência. Em meio à execução desta publicação, em 2019, Colomina veio ao Brasil para a XII Bienal de Arquitetura, à qual concedeu uma palestra focada no conteúdo do seu mais recente livro *X-RAY Architecture*[9] no Centro Cultural São Paulo. Sua vinda contribuiu para ampliar a presença de artigos e entrevistas

---

6 COLOMINA, Beatriz. *Clip, Stamp, Fold: The Radical Architecture of Little Magazines*, 196X to 197X. Nova York: Actar, 2011.

7 Paul B. Preciado, autor contemporâneo crucial para o campo de estudos sobre sexualidade, foi orientando de Colomina no programa de doutorado em Princeton, e em sua obra traz também perspectivas sobre as mudanças provocadas na noção de interioridade. Ver PRECIADO, Paul. *Pornotopia: PLAYBOY e a invenção da sexualidade multimídia*, São Paulo: N-1 Edições, 2020.

8 COLOMINA, Beatriz. Radical Interiority – Playboy Architecture 1953-1979. *Volume*, Interiors, n. 33, p. 2-5, 2012.

9 COLOMINA, Beatriz. *X-RAY Architecture*. Zurique: Lars Müller Publishers, 2019.

sobre sua pesquisa, resultando em uma entrevista no portal *Archdaily*, que ocorreu na sequência à registrada aqui. A entrevista apresentada neste volume, editada em conjunto com Gilberto Mariotti e Ligia Zilbersztejn, oferece uma porta de entrada ao modo de pensar rizomático de Colomina, enquanto nos indica pistas para enfrentar os novos dilemas da relação entre sexualidade e arquitetura.

Por fim, a publicação se encerra com o posfácio *Fontes, personagens e olhares: diálogos brasileiros com a obra de Beatriz Colomina*, escrito por Sabrina Studart Fontenele Costa. Entendendo o teor inédito desta publicação no contexto brasileiro, imaginou-se necessária uma relação das produções acadêmicas brasileiras que se inserem nas discussões propostas pelos ensaios de Colomina, traçando tanto um paralelo com sua abordagem, quanto ressaltando as diferenças que surgem nos contextos brasileiro e latino-americano. Sabrina oferece um panorama de autores e outros possíveis desdobramentos dos temas, apontando as potências e também carências que se apresentam por essa ponte entre diferentes contextos acadêmicos internacionais.

Em sua elaboração, essa publicação se propôs, portanto, a questionar a lógica de autoria única – quer seja na produção de arquiteturas, quer seja na acadêmica – à qual a Colomina se refere como um equívoco. Apesar de centrar-se nos textos da arquiteta, historiadora e crítica, foram muitas mãos que se dispuseram a questionar e digitar as possíveis leituras, traduções, edições, revisões e questões que esse livro requereu, desde os originais até o projeto gráfico, como um grande mergulho na obra e no método da autora.

Assumindo a impossibilidade de conter todas as múltiplas leituras sobre a relação entre sexualidade e arquitetura, este livro surge como um pontapé para novas traduções, projetando um desejo para o campo da arquitetura: o de se dispor às mudanças que acontecem no mundo, nas pessoas, seus corpos e subjetividades, abrindo-se para uma arquitetura que deseja maneiras diversas de existir e criar espaços; ao passo que seduz e democratiza a leitura de novas perspectivas historiográficas, para que possamos revisar a insistência de um desejo dominador que ainda apaga (como diz Colomina) e enclausura a premissa de liberdade que todo um espaço, ou até uma cama, pode oferecer.

Ainda escrevendo

Prefácio por Beatriz Colomina

A Escola da Cidade, então uma pequena e progressista faculdade sem fins lucrativos, localizada no centro de São Paulo, já estava no meu radar quando eu visitei a cidade pela primeira vez em 2006, para participar da XXVII Bienal de Arte de São Paulo. No último de muitos outros retornos à cidade, na ocasião da abertura da XII Bienal de Arquitetura de São Paulo na primavera de 2019, estávamos no princípio da Covid-19, mas ainda sem qualquer sinal seu no horizonte. Eu me sentei com alguns membros do corpo docente e estudantes para uma entrevista na Escola, para discutir, informalmente, o tema "arquitetura, sexualidade e mídia".

A Escola estava organizando um livro sob esse título, reunindo três de meus ensaios, escritos no decorrer de 22 anos, de 1992 a 2004. Um longo período de tempo, e cada um de um momento diferente da minha vida. Talvez até de vidas diferentes. Talvez a vida de escritora como uma escritora não seja a mesma que a sua vida pessoal. Talvez escrevamos para deixar nossa vida para trás, ou mudá-la. E ainda assim, naquele dia em 2019, conversamos sobre a possibilidade de todos esses textos estarem conectados, explorando as mesmas obsessões, como se pudessem ser apenas um texto no qual ainda estou trabalhando. Ou, pelo menos, foi isso que a entrevista provocou. E é verdade, claro. É isso que são as obsessões, um conjunto de perguntas do qual nunca nos desprendemos. No meu caso, isso inclui perguntas sobre privacidade, sexualidade e mídia, que dançam ao redor umas das outras desde meus primeiros textos – que se tornaram minha tese de doutorado – até o texto que estou trabalhando atualmente.

Eu valorizo o convite de pensar sobre como esses três tópicos atravessam meu trabalho. Talvez profissionais da arquitetura também realizem muitos projetos que parecem ser determinados por circunstâncias muito específicas e mesmo assim encontram caminhos, consciente ou inconscientemente, para explorar o mesmo conjunto reduzido de perguntas. Eu sempre pensei a minha escrita como a escrita de uma arquiteta. Escrever é uma parte crucial da arquitetura. Não por acaso, comecei escrevendo sobre Adolf Loos e Le Corbusier, dois arquitetos que escrevem, se inscrevendo na arquitetura, usando as mídias para criar uma atmosfera na qual eles serão convidados a fazer edifícios. Mas, mais do que isso, suas escritas já estavam moldando espaços. Era uma forma de arquitetura. As próprias palavras podem ser habitadas. Moramos em ideias, e até mesmo em sonhos. Escrever sobre arquitetura é sonhar. Os três ensaios aqui selecionados pelas organizadoras são sonhos. Estou sonhando sobre o que a arquitetura foi, é e pode ser.

A história da arquitetura para mim não é uma espécie de documentação sobre o que aconteceu, mas uma reativação de sonhos anteriores. É por isso que às vezes minha escrita tem uma qualidade onírica, mesmo no estado de espírito no qual estou escrevendo. Escrever é compartilhar essas ressonâncias menos óbvias, convidando leitores a sonhar também. Mesmo que eu seja uma arquiteta que escreve e leciona, em vez de construir, muitas vezes encontrando algo onde menos esperamos, meus leitores mais entusiasmados são possivelmente artistas, antropólogos, teóricos de mídia, historiadores culturais, e por aí vai.

Eu acho que com cada texto eu quero, ou me vejo, desfazendo os usuais limites da disciplina – enxergando o não arquitetônico dentro da arquitetura, e o arquitetônico fora da arquitetura. Romper com os limites da disciplina e escrever de uma maneira mais atmosférica não é uma forma de afrouxamento, mas uma maneira de ser mais precisa, de sintonizar com as questões complicadas e enigmáticas que organizam secretamente o discurso arquitetônico, mesmo que estejam reprimidas. Escrever atmosfericamente sobre o reprimido para poder ver a arquitetura de um modo diferente, como pela primeira vez: enxergar arquitetura no *Na cama pela paz* de Yoko Ono e John Lennon, em uma revista de entretenimento masculino, num catálogo de produtos industriais, no retoque de fotografias; e, em ordem reversa, enxergar sexualidade em plantas e cortes.

Eu escrevo sobre essas coisas não para dar uma resposta ou fazer um julgamento. Pelo contrário, escrevo sobre elas porque ainda são perguntas para mim. E é por isso que são obsessões. A questão da cama, por exemplo, permanece central no meu atual projeto sobre o futuro do trabalho que, mais uma vez, é o futuro da privacidade. Então, sigo ainda escrevendo sobre o que primeiramente escrevi. Ainda escrevendo.

Beatriz Colomina
Valência, Espanha, 16 de abril de 2023.

A parede cindida: voyeurismo doméstico[1]

The Split Wall: Domestic Voyeurism

"Habitar significa deixar rastros", escreve Walter Benjamin ao discutir o nascimento do interior.

> No interior, eles são acentuados. Colchas e cobertores, fronhas e estojos em que os objetos de uso cotidiano imprimam a sua marca são imaginados em grande quantidade. Também os rastros do morador ficam impressos no interior. Daí nasce a história de detetive, que persegue esses rastros [...]. Os criminosos dos primeiros romances de detetive não são cavalheiros nem apaches, mas pessoas pertencentes à burguesia.[2]

Existe um interior nos romances policiais. Mas poderá existir uma história de detetive do próprio interior, dos mecanismos escondidos pelos quais o espaço é construído como interior? O que poderia se dizer ser uma história de detetive da própria detecção, do olhar controlador, do olhar do controle, do olhar controlado. Mas onde estariam impressos os rastros desse olhar? O que temos para seguir adiante? Quais pistas?

Existe um trecho desconhecido de um livro bastante conhecido, *Urbanisme* (1925), de Le Corbusier,[3] em que se lê: "Loos afirmava-me um dia: 'Um homem culto não olha pela janela; sua janela é de vidro fosco; ela está lá apenas para proporcionar luz, não

---

1   Publicado inicialmente como parte do volume *Sexuality and Space* também organizado pela autora como resultado de simpósio de mesmo título por ela organizado na Escola de Arquitetura de Princeton entre 10 e 11 de março de 1990. COLOMINA, Beatriz. The split wall: domestic voyeurism. In: ___. *Sexuality & Space.* Nova Jersey: Princeton Press, 1992, p. 73-128. O presente texto foi previamente traduzido para o português e publicado na revista *Serrote*, n. 14, jul. 2013, p. 73-93, sob o título Parede vazada: voyeurismo doméstico. Na presente tradução optou-se por adotar o termo "cindido" pela aproximação aos diversos significados simbólicos que a autora atribui a essa imagem ao longo do texto. [N.T.]

2   BENJAMIN, Walter. Paris, a capital do século XIX. In: KOTHE, Flavio; FERNANDES, Florestan. *Walter Benjamin.* Sociologia. São Paulo: Ática, 1985, p. 38.

3   LE CORBUSIER. *Urbanismo.* São Paulo: WMF Martins Fontes, 2000.

1. Casa Moller, Viena, 1928
A escada que leva do hall de entrada à sala de estar.

2. Apartamento para Hans Brummel, Pilsen, 1929
Quarto com um sofá encostado na janela.

3. Casa Müller, Praga, 1930
A área de estar elevada na *Zimmer der Dame* com a janela que dá para a sala de estar.

para deixar o olhar passar."[4] Isso aponta para uma característica evidente, porém notavelmente ignorada, das casas de Loos: não apenas as janelas são opacas ou cobertas por cortinas translúcidas, mas a organização dos espaços e a disposição do mobiliário embutido (*o immeuble*) parecem dificultar o acesso a elas. Um sofá é frequentemente colocado ao pé de uma janela como que para posicionar os ocupantes de costas para esta, voltados para a sala (Imagem 2). Isso acontece até com janelas que dão para outros espaços interiores – como na área de estar do salão de mulheres na casa Müller (Praga, 1930) (Imagem 3). Além disso, ao entrar em um interior feito por Loos, o corpo se vira continuamente para olhar o espaço pelo qual ele acabou de passar, e não para aquele que está por vir ou o espaço exterior. A cada virada, cada olhar de volta, o corpo é detido. Olhando as fotografias, é fácil imaginar-se nessas posições estáticas e precisas, geralmente indicadas pelos móveis desocupados. Essas fotografias sugerem a intenção de que esses espaços sejam entendidos pela ocupação, pelo uso desse mobiliário, "entrando" na fotografia, habitando-a.[5]

Na casa Moller (Viena, 1928) existe uma área de estar, elevada em relação à sala, com um sofá posicionado de costas para a janela. Embora não seja possível ver através da janela, sua presença é fortemente sentida. As estantes que cercam o sofá e a

---

4   Idem, p. 172. Quando este livro foi publicado em inglês sob o título *The City of To-morrow and Its Planning*, traduzido por Frederick Etchells (Nova York, 1929), lia-se: "Um amigo uma vez me disse: 'Um homem inteligente não olha para fora de sua janela; sua janela é feita de vidro fosco; sua única função é deixar a luz entrar, não olhar para fora" (p. 185-86). Nessa tradução, o nome de Loos foi substituído por "um amigo". Será que Loos era "ninguém" para Etchells, ou esse é apenas mais um exemplo do tipo de mal-entendido que levou à tradução errônea do título do livro? Talvez tenha sido o próprio Le Corbusier quem decidiu apagar o nome de Loos. De outra ordem, porém não menos sintomática, é a má tradução de *laisser passer le regard* (deixar o olhar passar) como "olhar para fora", como se resistindo à ideia de que o olhar pode assumir, por assim dizer, uma vida própria, independentemente de quem o porta. Isso só poderia acontecer na França!

5   A percepção do espaço não é aquilo que espaço *é*, mas uma de suas representações; nesse sentido, o espaço construído não tem mais autoridade do que desenhos, fotografias ou descrições.

luz que vem por detrás dele sugerem um canto confortável para leitura (Imagem 4). Mas o conforto nesse espaço é mais do que somente sensual, pois também há uma dimensão psicológica. Um senso de segurança é produzido pela posição do sofá, pela posição de seus ocupantes, de costas para a luz. Qualquer pessoa, subindo a escada da entrada (uma passagem bastante escura), ao entrar na sala, demoraria alguns instantes para reconhecer alguém sentado no sofá. Inversamente, qualquer intrusão seria rapidamente detectada por uma pessoa que ocupasse essa área, assim como um ator entrando no palco é imediatamente visto por um espectador no camarote (Imagens 1 e 5).

Loos se refere à ideia de camarote ao notar que "a pequenez de um camarote seria insuportável se não fosse possível olhar para o grande espaço além dele".[6] Embora Kulka e depois Münz leiam esse comentário em termos da economia de espaço proporcionada pelo *Raumplan*,[7] eles negligenciam sua dimensão psicológica. Para Loos, o camarote existe na intersecção entre claustrofobia e agorafobia.[8] Esse dispositivo espacial-psicológico também pode ser lido em termos de poder, regimes de controle dentro da casa. A área de estar elevada da casa Moller proporciona a seu ocupante um ponto

6   "Podemos nos lembrar de uma observação de Adolf Loos, transmitida a nós por Heinrich Kulka, de que a pequenez de um camarote seria insuportável se não pudéssemos olhar para o grande espaço além; assim foi possível economizar espaço, mesmo no projeto de casas pequenas, ligando uma sala principal alta com um anexo baixo". MÜNZ, Ludwig; KUNSTLER, Gustav. *Adolf Loos, Pioneer of Modern Architecture*. Londres: Thames & Hudson, 1966, p. 148.

7   Buscando quebrar a lógica projetual da articulação de planos – plantas e elevações, Adolf Loos (1870-1933) proporia a ideia de desenhar os espaços a partir de uma visão tridimensional estabelecendo relações diversas entre eles. A chamada concepção em *Raumplan* (do alemão, plano dos espaços ou planta dos quartos) se daria portanto pela relação entre níveis diversos e com pés-direitos distintos de forma a propiciar não apenas ambientações específicas, mas também relações visuais entre os diversos espaços. A historiografia da arquitetura consagrou a casa Müller como um dos exemplos mais bem acabados do *Raumplan* loosiano. [N.T.]

8   Georges Teyssot notou que "As ideias bergsonianas do quarto como um refúgio do mundo pretendem ser concebidas como a 'justaposição' entre claustrofobia e agorafobia. Essa dialética já se encontra em Rilke". TEYSSOT, Georges. The Disease of the Domicile. *Assemblage*, n. 6, p. 95, jun. 1988.

de vista privilegiado do interior. O conforto nesse espaço está relacionado tanto à intimidade quanto ao controle.

Essa área é a mais íntima da sequência de espaços de convivência, porém, paradoxalmente, ao invés de estar no coração da casa, está situada de forma periférica, projetando um volume para fora da fachada da rua, logo acima da entrada da frente. Além disso, corresponde à maior janela dessa elevação – quase uma janela horizontal (Imagem 6). O ocupante desse espaço pode tanto detectar qualquer um que atravesse/ultrapasse o limite da casa (enquanto é ocultado pela cortina) quanto monitorar qualquer movimento no interior (enquanto é "ocultado" pela luz vinda de trás).

Nesse espaço, a janela é apenas uma fonte de luz (e não a moldura de uma vista). O olho está voltado para o interior. A única vista do exterior que seria possível dessa posição requer que o olhar navegue por toda a profundidade da casa, da alcova, passando pela sala de estar até a sala de música, que se abre para o jardim dos fundos (Imagem 7). Portanto, a vista do exterior depende de uma vista do interior.

O olhar voltado para dentro de si mesmo pode ser encontrado em outros interiores de Loos. Na casa Müller, por exemplo, a sequência de espaços, articulada ao redor da escada, segue um senso crescente de privacidade da sala de estar, passando pela sala de jantar e pelo estúdio até a "sala das mulheres" (*Zimmer der Dame*) com sua área de sentar elevada, que ocupa o centro, ou "coração" da casa (Imagens 3 e 8).[9] Mas a janela desse espaço dá para o espaço de convivência. Aqui, também, o cômodo mais íntimo é como um camarote, situado logo acima da entrada para os espaços sociais da casa, para que qualquer intruso possa ser facilmente visto. Da mesma forma, a vista do exterior, em direção à cidade, desse "camarote", é contida dentro de uma vista do interior. Suspenso no meio da casa, esse espaço assume tanto o caráter de lugar "sagrado" como o de um ponto de controle.

---

9   Também há uma rota mais direta e privativa para essa área de estar, uma escada subindo da entrada da sala de estar.

4. Casa Moller, Viena, 1928
A área de estar elevada vista da sala de estar.

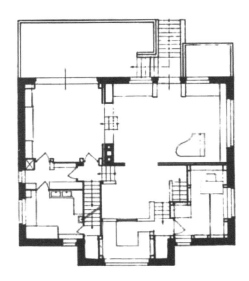

5. Casa Moller, Viena, 1928
Planta do piso térreo elevado, com a alcova desenhada mais estreita do que a construída.

6. Casa Moller, Viena, 1928
Vista da rua.

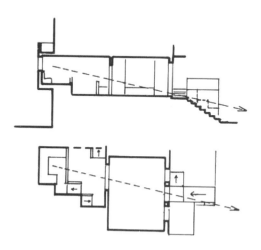

7. Casa Moller, Viena, 1928
Planta e corte traçando o caminho do olhar da área de estar elevada até o jardim dos fundos.

O conforto é paradoxalmente produzido por duas condições aparentemente opostas, intimidade e controle.

Esta dificilmente é a ideia de conforto associada ao interior do século XIX como descrito por Walter Benjamin em "Louis-Philippe, ou o *interieur*".[10] Nos interiores de Loos, a sensação de segurança não se dá pelo simples virar as costas para o exterior e mergulhar em um universo privado – "uma caixa no teatro do mundo", na metáfora de Benjamin. Não é mais a casa que é um camarote; há um camarote dentro da casa, com vista para os espaços sociais internos. Os habitantes das casas de Loos são tanto atores como espectadores da cena familiar – envolvidos em seu próprio espaço, porém separados dele.[11] A distinção clássica entre dentro e fora, público e privado, objeto e sujeito, torna-se intricada.

Os camarotes das casas Moller e Müller são espaços marcados como "femininos", o caráter doméstico da mobília contrasta com aquele do espaço "masculino" adjacente, as bibliotecas (Imagem 9). Nelas, os sofás de couro, as escrivaninhas, a chaminé, os espelhos representam um "espaço público" dentro da casa – o escritório e o clube invadindo o interior. Mas é uma invasão que está confinada a

---

10   "Sob Luís Filipe, o homem privado pisa o palco da história. [...] Pela primeira vez, o espaço em que vive o homem privado se contrapõe ao local de trabalho. Organiza-se no interior da moradia. O escritório é seu complemento. O homem privado, realista no escritório quer que o *interieur* sustente as suas ilusões. Esta necessidade é tanto mais aguda quanto menos ele cogita estender os seus cálculos comerciais às suas reflexões sociais. Reprime ambas ao confirmar o seu pequeno mundo privado. Disso se originam as fantasmagorias do 'interior', da interioridade. Para o homem privado, o interior da residência representa o universo. Nele se reúne o longínquo e o pretérito. O seu *salon* é um camarote no teatro do mundo." BENJAMIN, *op. cit.*, p. 37.

11   Isso lembra o ensaio de Freud *A Child is Being Beaten* (1919), no qual, como escreveu Victor Burgin, "o sujeito é colocado na plateia e no palco – onde é agressor e agredido". BURGIN, Victor. Geometry and abjection. *AA Files*, n. 15, p. 38, 1987. O *mise-en-scène* (ver nota 27) dos interiores de Loos aparentemente coincide com aquele do inconsciente de Freud. FREUD, Sigmund. A child is being beaten: a contribution to the study of the origin of sexual perversions. In: ___. *The Standard Edition of the Complete Psychological Works of Sigmund Freud*, vol. 17. Londres: Hogarth Press and the Institute of Psycho-Analysis, p. 175-204. Em relação ao ensaio de Freud, ver também: ROSE, Jacqueline. *Sexuality in the Field of Vision*. Londres: Verso, 1986, p. 209-10.

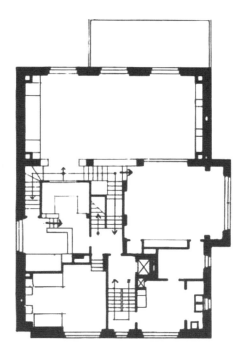

8. Casa Müller, Praga, 1930
Planta do piso principal.

9. Casa Müller, Praga, 1930
A biblioteca.

um cômodo fechado – um ambiente que faz parte de uma sequência de espaços sociais dentro da casa, mas não se envolve com eles. Como nota Münz, a biblioteca é um "reservatório de quietude", "separado do tráfego da residência".[12] A alcova elevada da casa Moller e a *Zimmer der Dame* da casa Müller, por outro lado, não apenas observam os espaços sociais, mas estão posicionadas exatamente no final da sequência, no limiar do privado, o secreto, os quartos superiores onde a sexualidade fica escondida. Na intersecção entre o visível e o invisível, as mulheres são colocadas como guardiãs do indizível.[13]

Mas o camarote é um dispositivo que tanto proporciona proteção como chama a atenção para si. Portanto, quando Münz descreve a entrada para os espaços sociais da casa Moller, ele escreve: "Dentro, ao entrarmos por um dos lados, nosso olhar se desloca na direção oposta até repousar na alcova leve e agradável, elevada sobre o piso da sala de estar. Agora estamos realmente dentro da casa".[14] Ou seja, o intruso só está "dentro", penetrou a casa, quando o olhar dele/dela atinge esse espaço mais íntimo, transformando o ocupante em uma silhueta contra a luz.[15] A "voyeur" no "camarote" se tornou objeto do olhar de outra pessoa; ela é apanhada no ato de ver, capturada no próprio momento de controle.[16] Ao enquadrar uma vista, o camarote também enquadra o espectador.

12 MÜNZ; KUNSTLER, *op. cit.*
13 Em uma crítica à consideração de Benjamin sobre o interior burguês, Laura Mulvey escreve: "Benjamin não menciona o fato de que a esfera privada, o doméstico, é um complemento essencial ao casamento burguês e por isso associado à mulher, não apenas como fêmea, mas como esposa e mãe. É a mãe que garante a privacidade do lar ao manter sua respeitabilidade, uma defesa tão essencial contra a incursão ou a curiosidade quanto as paredes envoltórias da própria casa". MULVEY, Laura. Melodrama Inside and Outside the Home. In: ___. *Visual and Other Pleasures*. Londres: Palgrave, 1989.
14 MÜNZ; KUNSTLER, *op. cit.*, p. 149.
15 Ao ler uma versão mais antiga deste manuscrito, Jane Weinstock observou que essa silhueta contra a luz pode ser entendida como uma mulher guardada, velada e, portanto, como o objeto tradicional de desejo.
16 Em sua reação a uma versão anterior deste artigo, Silvia Kolbowski observou que a mulher na área de estar elevada da casa Moller também poderia ser vista por detrás, através da janela da rua, e que portanto também é vulnerável no seu momento de controle.

É impossível abandonar o espaço, muito menos sair de casa, sem ser visto por aqueles sobre quem o controle está sendo exercido. Objeto e sujeito trocam de lugar. Se de fato há alguém atrás de qualquer um desses olhares é irrelevante:

> Posso me sentir olhado por alguém cujos olhos nem sequer vejo, nem distingo. Basta que algo signifique para mim que há outros ali. A janela, se está um pouco escuro e se eu tenho razões para pensar que há alguém atrás dela, é de imediato um olhar. A partir do momento em que esse olhar existe, já sou outra coisa, pelo fato de que me sentir tornando-me um objeto para o olhar de outros. Mas nessa posição, que é recíproca, outros também sabem que sou um objeto que sabe que é visto.[17]

Arquitetura não é simplesmente uma plataforma que acomoda o sujeito que a vê. É um mecanismo de observação que produz o sujeito. Ela precede e emoldura seu ocupante.

A teatralidade dos interiores de Loos é construída por muitas formas de representação (das quais o espaço construído não é necessariamente a mais importante). Muitas das fotografias, por exemplo, tendem a dar a impressão de que alguém está prestes a entrar no cômodo, de que um drama doméstico está na iminência de ser encenado. As personagens ausentes do palco, do cenário e de seus adereços – as peças de mobília conspicuamente colocadas (Imagem 10) – são invocadas.[18] A única fotografia publicada de um interior de Loos que inclui uma figura humana é uma vista da entrada da sala de estar da casa Rufer (Viena, 1922) (Imagem 11).

---

17   LACAN, Jacques. *O seminário, livro 1: os escritos técnicos de Freud, 1953-1954*. Rio de Janeiro: Jorge Zahar, 1986. Nessa passagem, Lacan se refere ao livro de Sartre *O ser e o nada*.

18   Há um exemplo dessa personificação da mobília em um dos textos mais autobiográficos de Loos, "Interiors in the Rotunda" (1898), no qual ele escreve: "Qualquer peça de mobiliário, qualquer coisa, qualquer objeto teve uma história para contar, a história de família". LOOS, Adolf. *Spoken Into the Void*: Collected Essays 1897-1900. Trad. Jane O. Newman e John H. Smith. Cambridge: MIT Press, 1982, p. 24.

Uma figura masculina, quase invisível, está prestes a cruzar a soleira através de uma abertura peculiar na parede.[19] Mas é precisamente nesse limiar, levemente fora do palco, que o ator/intruso está mais vulnerável, pois uma pequena janela na sala de leitura dá vista para sua nuca. Essa casa, tradicionalmente considerada o protótipo do *Raumplan*, também contém o protótipo do camarote.

Em seus escritos sobre a questão da casa, Loos descreve alguns melodramas domésticos. Em *Das Andere*, por exemplo, ele escreve:

> Tente descrever como nascimento e morte, os gritos de dor por um filho abortado, o matraquear mortal de uma mãe moribunda, os últimos pensamentos de uma jovem que deseja morrer [...] se desdobram e desenredam em um quarto de Olbrich! Apenas uma imagem: a jovem que se matou. Ela está deitada no chão de madeira. Uma de suas mãos ainda segura o revólver fumegante. Sobre a mesa uma carta, a carta de despedida. Será o quarto em que isso está acontecendo de bom gosto? Quem é que vai perguntar isso? É apenas um quarto![20]

Alguém poderia se perguntar também por que apenas as mulheres morrem, choram e cometem suicídio. Mas, deixando

---

19   Essa fotografia só foi publicada recentemente. A monografia de Kulka (um trabalho no qual Loos esteve envolvido) apresenta exatamente a mesma vista, a mesma fotografia, porém sem a figura humana. A estranha abertura na parede puxa o observador para o vazio, para o autor ausente (uma tensão que o fotógrafo sem dúvida sentiu a necessidade de encobrir). Essa tensão constrói o sujeito, assim como o faz no sofá embutido da área de estar elevada da casa Moller, ou na janela da *Zimmer der Dame* que dá para a sala de estar da casa Müller. KULKA, Heinrich. *Adolf Loos*. Viena: Anton Schroll & Co., 1931.

20   LOOS, Adolf. *Das Andere*. Ein Blatt zur Einführung abendländischer Kunst in Österreich, n. 1, p. 9, 1903. *Das Andere. Ein Blatt zur Einführung abendländischer Kunst in Österreich* (O outro. Revista para a introdução da arte ocidental na Áustria) editada por Adolf Loos no início do século XX foi recentemente reimpressa com tradução para o inglês, introdução e extensos comentários da autora. LOOS, Adolf; COLOMINA, Beatriz. *Das Andere*. Ein Blatt zur Einführung abendländischer Kunst in Österreich. Zurique: Lars Müller, 2016. [N.T.]

10. Apartamento de Adolf Loos, Viena, 1903
Vista da sala de estar para o nicho da lareira.

11. Casa Rufer, Viena, 1922
Entrada para a sala de estar.

essa questão de lado por ora, Loos está dizendo que a casa não deve ser concebida como uma obra de arte, que existe uma diferença entre uma casa e uma "série de cômodos decorados". A casa é o palco para o teatro da família, um local onde pessoas nascem, vivem e morrem. Enquanto uma obra de arte, uma pintura, apresenta-se à atenção crítica como um objeto, a casa é recebida como um ambiente, como um palco.

Para compor a cena, Loos abole a condição da casa como objeto ao radicalmente contorcer a relação entre dentro e fora. Um dos recursos que ele usa são espelhos, que, como observou Kenneth Frampton, aparentam ser aberturas, e aberturas que podem ser confundidas com espelhos.[21] Ainda mais enigmática é a localização, na sala de jantar da casa Steiner (Viena, 1910) (Imagem 12), de um espelho logo abaixo de uma janela opaca.[22] Aqui, novamente, a janela é apenas uma fonte de luz. O espelho, localizado no nível dos olhos, devolve o olhar para o interior, para a luminária acima da mesa de jantar e os objetos no aparador, lembrando o estúdio de Freud na Rua Berggasse 19, onde um pequeno espelho emoldurado, pendurado contra a janela, reflete a luminária na sua mesa de trabalho. Na teoria freudiana o espelho representa a psique. O reflexo no espelho é também um autorretrato projetado no mundo exterior. A localização do espelho de Freud na fronteira entre interior e exterior solapa o status da fronteira como limite fixo. Dentro e fora simplesmente não podem ser separados. De maneira similar, os espelhos de Loos promovem a interação entre realidade e ilusão, real e virtual, solapando o status da fronteira entre dentro e fora.

Essa ambiguidade entre o interno e o externo é intensificada pela separação entre a visão e os outros sentidos. Conexões físicas e visuais entre os espaços nas casas de Loos estão frequentemente separadas. Na casa Rufer, uma ampla abertura entre a sala de jantar elevada e a sala de música estabelece uma conexão visual que

21   Palestra de Kenneth Frampton não publicada, proferida na Universidade de Columbia, outono de 1986.

22   Deve-se notar também que essa janela dá para o exterior, ao contrário da outra, que se abre para um espaço limiar.

não corresponde à conexão física. Do mesmo modo, na casa Moller, parece não haver um jeito de entrar na sala de jantar pela sala de música, que está 70 centímetros abaixo; o único meio de acesso é por degraus que estão escondidos na base de madeira da sala de jantar (Imagem 13).[23] Esta estratégia de separação física e conexão visual, de "emoldurar", é repetida em muitos outros interiores feitos por Loos. As aberturas são frequentemente encobertas por cortinas, reforçando o efeito de palco. Deve-se notar também que geralmente é a sala de jantar que atua como palco, e a sala de música como espaço para os espectadores. O que está sendo emoldurado é a tradicional cena de vida doméstica cotidiana.

Mas o colapso entre dentro e fora e a divisão entre visão e tato não estão localizados exclusivamente na cena doméstica. Também ocorre no projeto de Loos de uma casa para Josephine Baker[24] (Paris, 1928) (Imagens 14 e 15) – uma casa que exclui a vida em família. No entanto, nesse caso, a "divisão" adquire um significado diferente. A casa foi projetada para conter uma grande piscina, com pé-direito duplo e iluminação zenital, com entrada no nível do segundo pavimento. Kurt Ungers, colaborador próximo de Loos nesse projeto, escreveu:

> A disposição ao redor da piscina das dependências da recepção no primeiro piso – um grande salão com um extenso vestíbulo iluminado por cima, um pequeno lounge e o café circular – indica que ela não se destinava a uso privado, mas a ser um *centro de*

---

23 A superfície reflexiva na parte traseira da sala de jantar da casa Moller (no meio do caminho entre uma janela opaca e um espelho) e a janela na parte de trás da sala de música "se espelham", não apenas em suas localizações e proporções, mas até mesmo na maneira como as plantas estão dispostas em duas camadas. Tudo isso produz a ilusão, na fotografia, de que o limite entre esses dois espaços é virtual – intransponível, impenetrável.

24 Para a compreensão plena da discussão que a autora fará desse projeto é importante notar que Josephine Baker, nome artístico de Freda Josephine McDonald (1906-1975), foi uma cantora e dançarina estadunidense negra, naturalizada francesa em 1937. [N.T.]

12. Casa Steiner, Viena, 1910
Vista da sala de jantar mostrando o espelho abaixo da janela.

13. Casa Moller, Viena, 1928
Vista da sala de música para a sala de jantar. No centro do limiar, há degraus que podem ser abaixados.

14. Projeto de uma casa para Josephine Baker em Paris, 1928
Maquete.

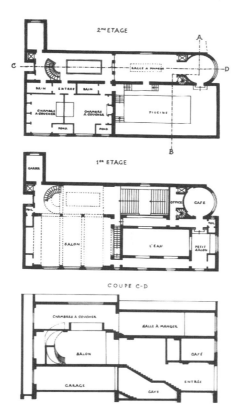

15. Casa Josephine Baker, Paris, 1928
Plantas do primeiro e do segundo pisos.

entretenimento em miniatura. No primeiro piso, passagens rebaixadas circundam a piscina. Elas são iluminadas por amplas janelas visíveis no exterior, e, a partir delas, janelas grossas e transparentes são inseridas na lateral da piscina, para que assim fosse possível assistir ao nado e ao mergulho em sua água cristalina, banhada de luz zenital: *um espetáculo de teatro subaquático*, por assim dizer.[25] [grifos do autor]

Como nas casas anteriores de Loos, o olho é direcionado para o interior, que dá as costas para o mundo exterior; mas o sujeito e o objeto do olhar foram invertidos. A habitante, Josephine Baker, agora é o objeto primário; e o visitante, o convidado, é o sujeito observador. O espaço mais íntimo – a piscina, paradigma de um espaço sensual – ocupa o centro da casa e é também o foco do olhar do visitante. Como escreveu Ungers, o entretenimento nessa casa consiste em olhar. Mas entre esse olhar e seu objeto – o corpo – está uma tela de vidro e água que torna o corpo inacessível. A piscina é iluminada por cima, por meio de uma claraboia, para que dentro dela as janelas apareçam como superfícies reflexivas, impedindo quem nada de ver os visitantes nas passagens. Essa vista é o oposto da vista panóptica de um camarote, correspondendo antes à de um olho mágico, onde sujeito e objeto não podem simplesmente trocar de lugar.[26]

O *mise-en-scène*[27] na casa Josephine Baker lembra a descrição de Christian Metz do mecanismo do voyeurismo no cinema:

---

25   Carta de Kurt Ungers para Ludwig Münz, citada em MÜNZ; KUNSTLER, *op. cit.*, p. 195.

26   Sobre o modelo do *peepshow* e a estrutura do voyeurismo, ver o projeto *Zoo*, de Victor Burgin. *Peepshow* se refere a performance ou filme curto, sexualmente excitante, que alguém, mediante pagamento, observa através de uma janela em uma saleta ou de um orifício em uma máquina. A série *Zoo* (1978-1980) do artista conceitual e fotógrafo Victor Burgin traz conjuntos de fotos que tematizam o corpo feminino e a sensualidade em meio a recortes do cotidiano. [N.T.]

27   Expressão francesa usada para descrever o arranjo do palco numa peça de teatro ou em um filme, considerando a relação entre atores e cenário. [N.T.]

É mesmo essencial [...] que o ator se comporte como se não fosse visto (logo, como se não visse seu voyeur), que ele siga com suas atividades comuns e leve a vida tal como previsto pela ficção do filme, que ele mantenha o comportamento galhofeiro que costuma ter em um quarto fechado, tomando o maior cuidado para não perceber que um retângulo de vidro foi instalado em uma das paredes, e que ele habita uma espécie de aquário.[28]

Mas a arquitetura dessa casa é mais complicada. A nadadora também pode ver o reflexo, emoldurado pela janela, de seu próprio corpo escorregadio sobreposto aos olhos desencarnados da figura sombria do espectador, cuja parte inferior do corpo é excluída pela moldura. Portanto, ela se vê sendo olhada por outro: um olhar narcisista sobreposto a um olhar voyeurístico. Esse conjunto erótico de olhares no qual ela está suspensa é inscrito em cada uma das quatro janelas que dão para a piscina. Cada uma delas, mesmo que não haja ninguém olhando através dela, constitui, de ambos os lados, um olhar.

A divisão entre a visão e os outros sentidos físicos encontrada nos interiores de Loos é explícita em sua definição de arquitetura. Em *The Principle of Cladding*, ele escreveu: "o artista, o *arquiteto*, primeiro sente o *efeito* daquilo que ele pretende realizar e visualiza com os olhos da mente os cômodos que quer criar. Ele sente o efeito que deseja exercer sobre o *espectador*. [...] acolhimento se [for] uma residência. [grifos do autor]"[29]. Para Loos, o interior é espaço pré-edipiano, espaço que antecede o distanciamento analítico que a linguagem acarreta, espaço como o sentimos, como vestimenta; isto é, como vestimenta antes da existência de roupas prontas para usar, quando era necessário primeiro escolher o tecido (e esse ato requeria, ou é como me lembro dele, um gesto

---

28   METZ, Christian. A Note on Two Kinds of Voyeurism. In: ___. *Imaginary Signifier.* Bloomington: Indiana University Press, 1977, p. 96.

29   LOOS, 1982, *op. cit.*, p. 66.

distinto de desviar o olhar do tecido enquanto se sentia a textura, como se a visão dele fosse um obstáculo para a sensação).

Loos parece ter invertido a separação cartesiana entre o perceptivo e o conceitual (Imagem 16). Enquanto Descartes, como escreveu Franco Rella, privava o corpo de seu status de "sede de conhecimento válido e transmissível" ("Na sensação, na experiência que deriva dela, reside o erro"),[30] Loos privilegia a experiência corporal do espaço em relação à sua construção mental: primeiro o arquiteto sente o espaço, depois o visualiza.

Para Loos, arquitetura é uma forma de cobertura, mas não são as paredes que são cobertas. A estrutura tem papel secundário, e sua função primária é manter a cobertura no lugar:

> A tarefa geral do arquiteto é prover um espaço acolhedor e habitável. Tapetes são acolhedores e habitáveis. Por essa razão, ele decide estender um tapete no piso e pendurar quadros para formar as quatro paredes. Mas não se pode construir uma casa com tapetes. Tanto o tapete no chão como a tapeçaria na parede requerem uma moldura estrutural que os mantenha no lugar correto. Inventar essa moldura é a tarefa secundária do arquiteto.[31]

Os espaços dos interiores de Loos cobrem os ocupantes como roupas cobrem o corpo (cada ocasião tem seu "feitio" apropriado). José Quetglas escreveu: "Será que a mesma pressão sobre o corpo seria aceitável numa capa de chuva como seria num vestido, em calças de equitação ou em um pijama? [...] Toda a arquitetura de Loos pode ser explicada como o envelope de um corpo". Do quarto de Lina Loos (essa "bolsa de pelo e pano") (Imagem 17) à piscina de Josephine Baker ("essa tigela transparente de água"), os interiores sempre contêm um "invólucro

---

30   RELLA, Franco. *Miti e figure del moderno.* Parma: Pratiche Editrice, 1981, p. 13; DESCARTES, René. Lettre à Hyperaspites, août 1641. In: ___. *Correspondance avec Arnould et Morus.* Paris: G. Lewis, 1933.

31   LOOS, 1982, *op. cit.*, p. 66.

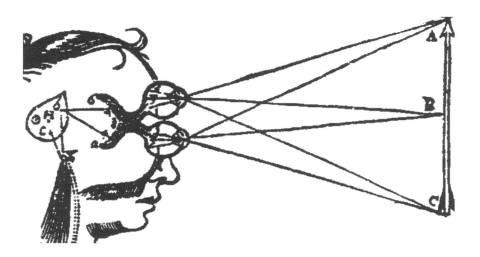

16. Diagrama do tratado *As paixões da alma* de René Descartes.

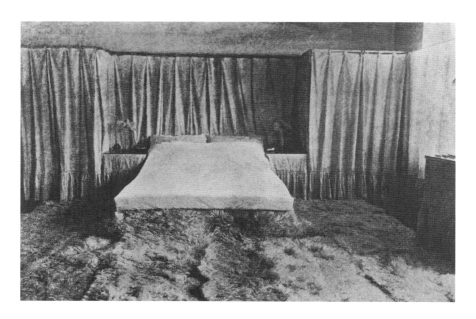

17. Apartamento de Adolf Loos
Quarto de Lina Loos.

quente no qual é possível se envolver". É uma "arquitetura do prazer", uma "arquitetura do útero".[32]

Mas o espaço na arquitetura de Loos não é apenas sentido. É significativo, na citação anterior, que Loos se refira ao morador como um espectador, pois sua definição de arquitetura é realmente uma definição de arquitetura teatral. As "roupas" se tornaram tão distanciadas do corpo que necessitam de um suporte estrutural independente dele. Elas se tornaram um "cenário de palco". O morador está tanto "coberto" pelo espaço como "destacado" dele. A tensão entre sensação de conforto e conforto como controle desarranja o papel da casa como forma de representação tradicional. Mais precisamente, o sistema de representação tradicional, dentro do qual o edifício é apenas um de muitos mecanismos sobrepostos, é deslocado.

A crítica de Loos a noções tradicionais de representação arquitetônica está atrelada ao fenômeno de uma cultura metropolitana emergente. O sujeito da arquitetura de Loos é o indivíduo metropolitano, imerso nas relações abstratas da cidade, esforçando-se para afirmar a independência e a individualidade de sua existência contra o poder nivelador da sociedade. Essa batalha, de acordo com Georg Simmel, é o equivalente moderno da luta do homem primitivo com a natureza, o vestuário é um dos campos de batalha e a moda é uma de suas estratégias.[33] Ele escreve: "O lugar-comum é a boa forma na sociedade. [...] É de mau gosto fazer-se notável por meio de uma expressão individual, singular. [...] Obediência aos padrões do público geral em toda a exterioridade [é] o meio consciente e desejado de preservar os

---

32   QUETGLAS, José. Lo Placentero. *Carrer de la Ciutat,* n. 9-10 [edição especial sobre Loos], p. 2, jan. 1980.

33   "Os problemas mais graves da vida moderna derivam da reivindicação que faz o indivíduo de preservar a autonomia e a individualidade de sua existência em face das esmagadoras forças sociais, da herança histórica, da cultura externa e da técnica de vida. A luta que o homem primitivo tem de travar com a natureza pela sua existência física alcança sob esta forma moderna sua transformação mais recente". SIMMEL, Georg. A metrópole e a vida mental. In: VELHO, Guilherme. (org.). *O fenômeno urbano.* Rio de Janeiro: Guanabara, 1987, p. 11.

sentimentos e o gosto pessoal."[34] Em outras palavras, a moda é uma máscara que protege a intimidade do ser metropolitano.

Loos escreve sobre moda precisamente nestes termos:

> Nós nos tornamos mais refinados, mais sutis. Os homens primitivos tinham de se diferenciar com várias cores, o homem moderno precisa de suas roupas como uma máscara. Sua individualidade é tão forte que não pode mais ser expressa em termos de peças de vestuário. [...] Suas invenções estão concentradas em outras coisas.[35]

Significativamente, Loos escreve sobre o exterior da casa nos mesmos termos em que escreve sobre moda:

> Quando finalmente me foi dada a tarefa de construir uma casa, eu disse a mim mesmo: em sua aparência externa, uma casa só pode ter mudado tanto quanto um smoking. Logo, não muito. [...] Eu tive de me tornar significativamente mais simples. Tive que substituir os botões dourados por pretos. A casa deve parecer discreta.[36] A casa não precisa dizer nada ao exterior; ao contrário, toda a sua riqueza deve estar evidente no interior.[37]

Loos parece estabelecer uma diferença radical entre interior e exterior que reflete a divisão entre a vida íntima e a vida social do ser metropolitano: fora, a esfera da troca, do dinheiro e das máscaras; dentro, a esfera do inalienável, do não cambiável e do indizível.

---

34 SIMMEL, Georg. Fashion. In: ___. *On Individuality and Social Forms*. Chicago: University of Chicago Press, 1972, p. 324.

35 LOOS, Adolf. Ornament and Crime. In: BUDNY, Mildred; SAFRAN, Yehuda; WANG, Wilfried (org.). *The Architecture of Adolf Loos.* Londres: Arts Council of Britain, 1985, p. 103.

36 Idem, p. 107.

37 LOOS, Adolf. Heimat Kunst (1914). In: ___. *Trotzdem* (1900-1930). Innsbruck: Brenner, 1931, p. 110 *et. seq.*

Além disso, essa divisão entre dentro e fora, entre sentidos e visão, é carregada de significados de gênero. O exterior da casa, escreve Loos, deve se assemelhar ao smoking, uma máscara masculina; como o eu unificado, protegido por uma fachada impecável, o exterior é masculino. O interior é o cenário da sexualidade e da reprodução, tudo o que dividiria o sujeito no mundo exterior. No entanto, essa divisão dogmática nos textos de Loos entre dentro e fora é solapada por sua arquitetura.

A sugestão de que o exterior é meramente uma máscara que reveste um interior preexistente é enganosa, pois interior e exterior são construídos ao mesmo tempo. Quando estava projetando a casa Rufer, por exemplo, Loos usou uma maquete desmontável que permitia que as distribuições internas e externas fossem trabalhadas simultaneamente. O interior não é simplesmente o espaço confinado pelas fachadas. Uma multiplicidade de fronteiras é estabelecida, a tensão entre dentro e fora reside nas paredes que os dividem, e seu status é perturbado pelo deslocamento que Loos faz das formas tradicionais de representação. Tratar do interior é tratar da cisão da parede.

Tome como exemplo o deslocamento das convenções de desenho nos quatro desenhos, feitos a lápis por Loos, da elevação da casa Rufer (Imagem 18). Cada um deles mostra não apenas os contornos da fachada, mas também, em linhas tracejadas, as divisões horizontais e verticais do interior, a posição dos cômodos, a espessura dos pisos e das paredes. As janelas são representadas por quadrados pretos, sem moldura. Esses desenhos não são nem do interior nem do exterior, mas da membrana entre eles: entre a representação da habitação e a máscara está a parede. O sujeito de Loos habita essa parede. Esse habitar cria uma tensão nesse limite, adultera-o.

Isso não é simplesmente uma metáfora. Em cada casa de Loos existe um ponto de tensão máxima que sempre coincide com um limiar ou uma soleira. Na casa Moller, é a alcova elevada projetando-se da fachada da rua, onde o ocupante é abrigado na segurança do interior, porém destacado dele. O sujeito das casas de Loos é um estranho, um intruso em seu próprio espaço. Na casa de Josephine

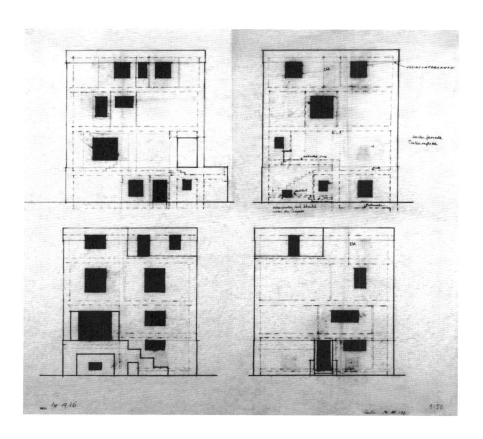

18. Casa Rufer, Viena, 1922
Elevações.

Baker, a parede da piscina é perfurada por janelas. Foi separada, deixando uma passagem estreita ao redor da piscina e dividindo cada uma das janelas em uma janela interior e uma janela exterior. O visitante literalmente habita essa parede, que lhe permite olhar tanto para dentro, para a piscina, quanto para fora, para a cidade, mas ele não está nem dentro nem fora da casa. Na sala de jantar da casa Steiner, o olhar dirigido para a janela é desviado de volta pelo espelho abaixo, o que transforma o interior em uma vista exterior, uma cena. O sujeito foi deslocado: incapaz de ocupar o interior da casa com segurança, ele só pode ocupar a margem insegura entre janela e espelho.[38]

Como os ocupantes de suas casas, Loos está tanto dentro como fora do objeto. A ilusão de Loos como um homem no controle do próprio trabalho, um sujeito indiviso, é suspeita. Na verdade, ele é construído, controlado e fragmentado pelo próprio trabalho. No *Raumplan*, por exemplo, Loos constrói um espaço (sem ter terminado os desenhos), e então se permite ser manipulado por essa construção. O objeto tem tanta autoridade sobre ele quanto ele sobre o objeto. Ele não é simplesmente um autor.[39]

O crítico não é exceção a esse fenômeno. Incapaz de se distanciar do objeto, o crítico simultaneamente produz um novo objeto e é produzido por ele. A crítica que se mostra como uma nova apresentação de um objeto existente está, na verdade, construindo um objeto completamente novo. Por outro lado, leituras que afirmam ser inventários puramente objetivos, como as monografias-padrão

38   O sujeito é não só o habitante do espaço, mas também o observador das fotografias, o crítico e o arquiteto. A respeito disso, ver artigo onde esse argumento se encontra mais desenvolvido: COLOMINA, Beatriz. Intimacy and Spectacle: The Interior of Loos. *AA Files*, n. 20, p. 13-14, 1990.

39   A desconfiança de Loos em relação aos desenhos arquitetônicos o leva a desenvolver o *Raumplan* como um meio de conceituar o espaço através de como é sentido, mas, de forma reveladora, ele não deixou nenhuma definição teórica deste. Kulka notou: "ele fará muitas mudanças durante a construção. Ele vai andar pelo espaço e dizer: 'Eu não gosto da altura deste pé-direito, mude!'. A ideia do *Raumplan* tornou difícil terminar um projeto antes que sua construção permitisse a visualização do espaço como ele era". KULKA, *op. cit*.

de Loos – Münz e Künstler nos anos 1960 e Gravagnuolo nos anos 1980[40] –, são desequilibradas pelo próprio objeto de seu controle. Em lugar algum essa alienação fica mais evidente do que em suas interpretações da casa para Josephine Baker.

Münz, de resto um escritor circunspecto, começa sua avaliação dessa casa com a exclamação: "África: essa é a imagem suscitada mais ou menos firmemente pela contemplação da maquete", mas depois confessa não saber por que invocou essa imagem.[41] Ele tenta analisar as características formais do projeto, mas só consegue concluir que "elas parecem estranhas e exóticas". O que é mais surpreendente nessa passagem é a incerteza sobre se Münz está se referindo à maquete da casa ou à própria Josephine Baker. Ele parece incapaz seja de se distanciar do projeto, seja de entrar nele.

Assim como Münz, Gravagnuolo se vê escrevendo coisas sem saber por quê, repreende-se e então tenta recuperar o controle:

> Primeiramente há o encanto desta arquitetura vívida. Não é apenas o dicromatismo das fachadas, mas – como veremos – a natureza espetacular da articulação interna que determina seu caráter sedutor e refinado. Em vez de nos entregarmos ao prazer das sugestões, precisamos destrinchar esse "brinquedo" com *distanciamento analítico* se quisermos entender o mecanismo de composição. [42] [grifos do autor]

Ele, então, institui um regime de categorias analíticas ("a introversão arquitetônica", "o renascimento do dicromatismo", "o arranjo plástico") que não usa em nenhum outro lugar do livro. E conclui:

> A água inundada de luz, o nado refrescante, o prazer voyeurístico da exploração subaquática – são esses os

40 MÜNZ; KÜNSTLER, *op. cit.*; GRAVAGNUOLO, Benedetto. *Adolf Loos*. Nova York: Rizzoli, 1982.

41 MÜNZ; KÜNSTLER, *op. cit.*, p. 195.

42 GRAVAGNUOLO, *op. cit.*, p. 191.

ingredientes cuidadosamente balanceados dessa arquitetura vívida. Porém, o que mais importa é que o convite ao espetacular sugerido pelo tema da casa para uma estrela de cabaré é manejado por Loos com discrição e *distanciamento intelectual*, mais como um jogo poético, envolvendo a busca mnemônica de citações e alusões ao espírito romano, do que como uma rendição vulgar ao gosto de Hollywood.[43][grifos do autor]

Gravagnuolo acaba dando crédito a Loos pelo "distanciamento" (de Hollywood, do gosto vulgar, da cultura feminizada) ao "manejar" o projeto que o próprio crítico estava tentando recuperar na sua análise. A insistência no distanciamento, no restabelecimento da distância entre crítico e objeto da crítica, arquiteto e edifício, sujeito e objeto, é claramente indicativa do fato óbvio de que Münz e Gravagnuolo não conseguiram se separar do objeto. A imagem de Josephine Baker oferece prazer, mas também representa a ameaça de castração apresentada pelo "outro": a imagem de uma mulher na água – líquida, fugidia, que não pode ser controlada, contida. Uma maneira de lidar com essa ameaça é a fetichização.

A casa de Josephine Baker representa uma mudança no status sexual do corpo. Essa mudança envolve determinações mais de raça e classe do que de gênero. O camarote dos interiores domésticos coloca a ocupante contra a luz. Ela aparece como uma silhueta, misteriosa e desejável, mas a iluminação vinda de trás também chama a atenção para ela como um volume físico, uma presença corporal dentro da casa, com interior próprio. Ela controla o interior, porém está presa dentro dele. Na casa Baker, o corpo é produzido como espetáculo, objeto de um olhar erótico, um sistema erótico de olhares. O exterior dessa casa não pode ser lido como uma máscara silenciosa destinada a ocultar seu interior; é uma superfície tatuada que não se refere ao interior, nem o oculta nem o revela. Essa fetichização da superfície é repetida no "interior". Nas passagens, os

---

43   Idem, p. 191.

visitantes consomem o corpo de Baker como uma superfície aderente às janelas. Assim como o corpo, a casa é toda superfície; simplesmente não tem um interior.

Nas casas de Le Corbusier, pode ser observada a condição inversa aos interiores de Loos. Em fotografias, as janelas nunca estão cobertas por cortinas, nem o acesso a elas é dificultado por objetos. Pelo contrário, tudo nessas casas parece estar disposto de modo que continuamente jogue o sujeito para a periferia da casa. O olhar é dirigido para o exterior tão deliberadamente que sugere a leitura dessas casas como molduras para uma vista. Até mesmo quando de fato em um "exterior", em um terraço ou em um "teto jardim", as paredes são construídas para emoldurar a paisagem e a vista de lá para o interior, como mostra uma fotografia canônica da Villa Savoye (Imagem 19),[44] passa diretamente por ele até a paisagem emoldurada (de modo que na verdade se pode falar sobre uma série de molduras sobrepostas). Essas molduras ganham temporalidade por meio da *promenade*.[45] Diferentemente das casas de Adolf Loos, a percepção aqui ocorre em movimento. É difícil pensar em alguém em posições estáticas. Se as fotografias dos interiores de Loos dão a impressão de que alguém está prestes a entrar no cômodo, nas de Le Corbusier a impressão é a de que alguém estava ali havia pouco, deixando como rastro um casaco e um chapéu sobre a mesa na entrada da Vila Savoye (Imagem 20) ou um pão e uma jarra na mesa da cozinha (Imagem 21 – note também que aqui a porta foi deixada aberta, sugerindo ainda a ideia de que acabamos de desencontrar alguém), ou um peixe cru na cozinha de Garches (Imagem 22). E até mesmo quando atingimos o ponto mais alto da casa, como no terraço da Villa Savoye no

---

44   Obra canônica da história da arquitetura moderna construída na cidade de Poissy, nos arredores de Paris, em 1929, a Villa Savoye concretiza como manifesto os cinco pontos defendidos por Le Corbusier como fundamentais na arquitetura moderna: pilotis, planta livre, fachada livre, janela em fita e terraço jardim. [N.T.]

45   Do francês, passear. O conceito de *promenade* foi conceituado e amplamente explorado por Le Corbusier em sua obra como a importância em conceber o projeto arquitetônico levando em conta os trajetos prováveis ao circular pelo espaço e as possíveis perspectivas ou apreensões da obra nesse processo. [N.T.]

19. Villa Savoye, Poissy, 1929
Jardim suspenso.

20. Villa Savoye, Poissy, 1929
Vista do hall de entrada.

21. Villa Savoye, Poissy, 1929
Vista da cozinha.

22. Villa Stein, Garches, 1927
Vista da cozinha.

23. Villa Savoye, Poissy, 1929
Vista do jardim na cobertura.

24. Villa Stein, Garches, 1927
Still do filme *L'Architecture d'aujourd'hui*, 1929.

peitoril da janela que emoldura a paisagem, o ponto culminante da *promenade*, aqui também encontramos um chapéu, um par de óculos de sol, um pequeno pacote (cigarros?) e um isqueiro (Imagem 23), e agora, para onde foi o *gentleman*[46]? Porque, é claro, você já deve ter percebido que todos os objetos pessoais são masculinos (nunca é uma bolsa, um batom ou alguma peça de vestuário feminino). Mas antes disso. Estamos seguindo alguém, os rastros da existência dele nos são apresentados na forma de uma série de fotografias do interior. O olhar para essas fotografias é um olhar proibido. O olhar de um detetive. Um olhar voyeurístico.[47]

No filme *L'Architecture d'aujourd'hui* (1929), dirigido por Pierre Chenal com Le Corbusier,[48] este, como ator principal, dirige o próprio carro até a entrada da Villa Stein (Imagem 24), desce e entra vigorosamente na casa. Ele está usando um terno preto com gravata-borboleta, seu cabelo está assentado com brilhantina, cada fio em seu lugar, ele segura um cigarro na boca. A câmera faz uma panorâmica do exterior da casa e chega no "terraço jardim", onde estão mulheres sentadas e crianças brincando. Um garoto está dirigindo seu carro de brinquedo. Nesse momento, Le Corbusier aparece de novo, mas no outro lado do terraço (ele nunca estabelece contato com as mulheres e crianças). Está fumando seu cigarro. Ele então, muito atleticamente, sobe a escada em espiral que leva ao

---

46   Do inglês, cavalheiro. [N.T.]

47   Para outras interpretações dessas fotografias das vilas de Le Corbusier apresentadas na *Oeuvre Complète* ver: SCHUMACHER, Thomas. Deep Space, Shallow Space. *Architectural Review*, p. 37-42, jan. 1987; BECHERER, Richard. Chancing it in the Architecture of Surrealist Mise-en-Scène. *Modulus*, n. 18, p. 63-87, 1987; GORLIN, Alexander. The Ghost in the Machine: Surrealism in the Work of Le Corbusier. *Perspecta*, n. 18, 1982; QUETGLAS, José. Viajes alrededor de mi alcoba. *Arquitecture* n. 264-65, p. 111-12, 1987.

48   Uma cópia desse filme se encontra no Museu de Arte Moderna (MoMA) de Nova York. Sobre esse filme ver: WARD, James. *Le Corbusier's Villas, Les Terrasses and the International Style*. Dissertação de doutorado. New York University, 1983; e, do mesmo autor, WARD, J. Les Terrasses. *Architectural Review*, p. 64-69, mar. 1985. Richard Becherer (*op. cit.*) o comparou ao filme de Man Ray *Les Mystères du Château du Dé* (cenário de Mallet-Stevens) em "Chancing it in the Architecture of Surrealist Mise-en-Scène".

ponto mais alto da casa, um mirante. Ainda vestindo seu traje formal, com o cigarro ainda pendurado na boca, ele faz uma pausa para contemplar a vista daquele ponto. Ele olha para fora.

Nesse filme também há uma figura feminina que atravessa uma casa. A casa que a emoldura é a Villa Savoye. Aqui não há nenhum carro chegando. A câmera mostra a casa a distância, um objeto na paisagem, e então faz uma panorâmica do exterior e do interior da casa. E é ali, no meio do caminho para o interior, que aparece uma mulher na tela. Ela já está do lado de dentro, já contida pela casa, confinada. Ela abre a porta que leva ao terraço e sobe a rampa em direção ao "terraço jardim" de costas para a câmera. Ela usa roupas informais e salto alto e segura o corrimão enquanto sobe, sua saia e seu cabelo balançando ao vento. Ela parece vulnerável. Seu corpo está fragmentado, emoldurado não apenas pela câmera, mas pela própria casa, atrás das grades (Imagem 25). Ela aparenta estar se movimentando do interior da casa para seu exterior, para o jardim do telhado. Mas esse exterior é novamente construído como um interior, com uma parede envolvendo o espaço no qual uma abertura com as proporções de uma janela emoldura a paisagem. A mulher continua caminhando ao longo da parede, como se protegida por ela, e, ao passo que a parede faz uma curva para formar o solário, a mulher também se vira, pega uma cadeira e se senta. Ela estaria de frente para o interior, o espaço pelo qual acabou de passar. Mas para a câmera, que agora nos mostra uma vista geral do terraço, ela desapareceu atrás das plantas. Ou seja, justamente quando se virou e poderia encarar a câmera (não há mais para onde ir), ela some. Ela nunca capta nosso olhar. Aqui estamos literalmente seguindo alguém, o ponto de vista é o de um voyeur.

Poderíamos juntar mais evidências. Poucas fotografias dos edifícios de Le Corbusier mostram pessoas neles. Mas, nas poucas que o fazem, as mulheres sempre desviam o olhar da câmera: na maior parte do tempo, são fotografadas de costas e quase nunca ocupam o mesmo espaço dos homens. Tomemos como exemplo as fotografias do Edifício Clarté na *Oeuvre*

25. Villa Savoye, Poissy, 1929

Still do filme *L'Architecture d'aujourd'hui*. "Une maison ce n'est pas une prison: l'aspect change à chaque pas" (Uma casa não é uma prisão: o aspecto muda a cada passo).

26. Edifício Clarté, Genebra, 1930-32
Vista do interior.

27. Edifício Clarté, Genebra, 1930-32
A varanda.

complète.[49] Em uma delas, a mulher e a criança estão no interior, são fotografadas de costas, olhando a parede; os homens estão na varanda, olhando para fora, em direção à cidade (Imagem 26). Na próxima foto, a mulher, novamente fotografada de costas, está apoiada na janela da varanda observando o homem e a criança que estão na varanda (Imagem 27). Essa estrutura espacial é repetida com frequência, não apenas nas fotografias, como também nos desenhos dos projetos de Le Corbusier. Em um desenho do projeto Wanner, por exemplo, a mulher no piso de cima está inclinada na varanda, olhando para seu herói, o boxeador, que está ocupando o *jardin suspendu*.[50] Ele olha para seu saco de pancadas. E no desenho *Ferme radieuse*[51] a mulher na cozinha olha por cima da bancada em direção ao homem sentado à mesa na sala de jantar. Ele está lendo o jornal. Aqui, novamente, a mulher é colocada "dentro", o homem, "fora"; a mulher olha para o homem e o homem olha o "mundo".

Mas talvez nenhum exemplo seja mais revelador do que a fotocolagem da exibição de uma sala de estar no *Salon d'Automne* 1929,[52] incluindo todo o "equipamento de uma moradia", projeto que Le Corbusier realizou em colaboração com Charlotte Perriand.[53] Nessa imagem, que Le Corbusier publicou em *Oeuvre complète*, a própria Perriand está deitada na *chaise-longue*,[54] com a cabeça desviada da câmera. Ainda mais significante, na fotografia original utilizada na fotocolagem (assim como em outra fotografia na *Oeuvre complète*, que mostra a

---

49   LE CORBUSIER. *Oeuvre complète*. Basel: Birkhauser Verlag, 1995.
50   Do francês, jardim suspenso. [N.T.]
51   Projeto desenvolvido por Le Corbusier em conjunto com e ante a provocação de Norbert Bézart entre 1933 e 1934. Como contrapartida de seu projeto síntese da cidade moderna funcionalmente organizada, *ville radieuse*, a ideia de *ferme radieuse* deveria organizar o trabalho cooperativo no campo por meio do desenho arquitetônico. [N.T.]
52   Exposição de arte organizada anualmente em Paris. [N.T.]
53   Charlotte Perriand (1903-1999) foi uma arquiteta francesa que trabalhou sistematicamente em projetos com Le Corbusier e com Fernand Léger, tendo sua ampla obra espalhada em diversos países do mundo. [N.T.]
54   Do francês, poltrona alongada, cujas proporções e formato a aproximam de um divã. [N.T.]

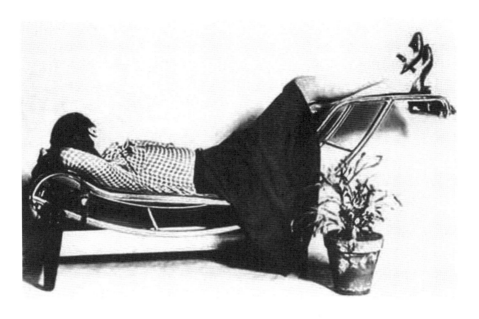

28. Charlotte Perriand na *chaise-longue* contra a parede *Salon d'Automne* (Salão de Outono) 1929.

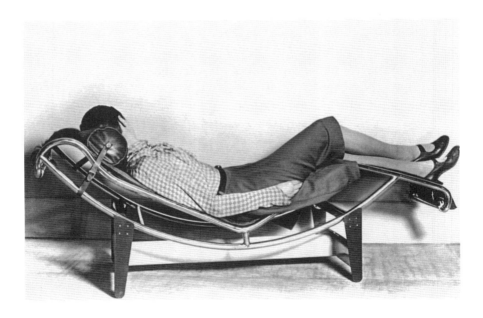

29. *Chaise-longue* na posição horizontal

chaise-longue na posição horizontal), pode-se ver que a cadeira foi colocada encostada na parede. Notavelmente, ela está de cara para a parede. É quase um anexo da parede. Ela não vê nada (Imagens 28 e 29).

E, é claro, para Le Corbusier – que escreve coisas como "Eu existo na vida só na condição de que eu veja" (*Precisões*, 1930) "Esta é a chave: olhar [...] olhar/observar/ver/imaginar/inventar, criar" (1963)e, nas últimas semanas de sua vida: "Eu sou e continuarei sendo um impenitente visual" (*Mise au Point*) – tudo está no visual.[55] Mas o que significa *visão* aqui?

Agora, devemos retornar à passagem em *Urbanismo* que abre este ensaio ("Loos afirmava-me um dia: 'Um homem culto não olha pela janela [...]'"), porque é nessa mesma passagem que ele nos dá uma pista para o enigma quando diz: "Esse sentimento [o de Loos em relação à janela] pode ter uma explicação na cidade congestionada, desordenada, onde a desordem aparece em imagens angustiantes; seria possível até admitir o paradoxo [de uma janela loosiana] diante de um espetáculo natural sublime, demasiadamente sublime."[56] Para Le Corbusier, a própria metrópole era "sublime demais". O olhar, na arquitetura de Le Corbusier, não é aquele olhar que ainda fingiria contemplar o espetáculo metropolitano com o distanciamento de um observador do século XIX diante de uma paisagem natural sublime. Não é o olhar nos desenhos de Hugh Ferriss de *A Metrópole do Amanhã*, por exemplo.[57]

Nesse sentido, a cobertura que Le Corbusier fez para Charles de Beistegui na Champs-Elysées, Paris (1929-31), se torna

---

55   CROSSET, Pierre-Alain. Eyes which see. *Casabella*, n. 531-532, p. 115, 1987.

56   "Un tel sentiment s'explique dans la ville congestionnée où le désordre apparaît en images affligeantes; on admettrait même le paradoxe en face d'un spectacle natural sublime, trop sublime." LE CORBUSIER, *op. cit.*, 2000, p. 172 *et. seq.*

57   Le Corbusier se refere a Hugh Ferriss em seu livro *La Ville Radieuse* (Paris: Vincent, Freal & Cie., 1993) quando ele escreveu como legenda acompanhando uma colagem de imagens que contrasta Hugh Ferriss e a Nova York atual com o plano *Voisin* e Notre Dame: "A tradição francesa – Notre Dame e o plano *Voisin* (arranha-céus 'horizontais') *versus* a linha americana (tumulto, excitação, caos, primeiro estágio explosivo de um novo medievalismo)". LE CORBUSIER. *The Radiant City*. Nova York: Orion Press, 1967, p. 133.

sintomática (Imagens 30 e 31). Nessa casa, originalmente pensada não para ser habitada, mas para servir de moldura de grandes festas, não havia luz elétrica. Beistegui escreveu: "a vela recuperou seus direitos porque é a única que proporciona uma luz *viva*"[58]. "A eletricidade, poder moderno, é invisível, não ilumina a habitação, mas ativa as portas e move as paredes."[59]

A eletricidade é usada *dentro* desse apartamento para deslizar paredes divisórias, operar portas e permitir projeções cinematográficas na tela de metal (que se desdobra automaticamente quando o candelabro sobe com o uso de polias), e *fora*, no terraço do telhado, para deslizar os bancos das cercas para emoldurar a vista de Paris: "Ao se pressionar um botão elétrico, o tapume verde se afasta e Paris aparece"[60] (Imagem 32). A eletricidade é usada aqui não para iluminar, tornar *visível*, mas como uma tecnologia de moldura. Portas, paredes, cercas, ou seja, dispositivos arquitetônicos tradicionais de emoldurar, são ativados com energia elétrica, assim como a câmera de cinema embutida e sua tela de projeção, e quando essas molduras modernas estão *acesas* a luz "viva" do candelabro dá lugar a outra luz viva, a luz oscilante do cinema, as "faíscas".

Essa nova "iluminação" desloca as formas tradicionais de enclausuramento, como a eletricidade havia feito antes

---

58   Charles de Beistegui, entrevistado por Roger Baschet em *Plaisir de France* (mar. 1936, p. 26-29). Citado por SADDY, Pierre. Le Corbusier chez les riches: l'appartement Charles de Beistegui. *Architecture, mouvement, continuité*, n. 49, p. 57-70, 1979. Sobre esse apartamento, ver também Appartement avec terrasses, *L'Architecte*, p. 102-04, out. 1932.

59   "L'électricité, puissance moderne, est invisible, elle n'éclaire point la demeure, mais actionne les portes et déplace les murailles." Baschet, entrevista com Charles de Beistegui, *Plaisir de France*, *op. cit.*

60   "En pressant un bouton électrique, la palissade de verdure s'écarte et Paris apparaît". SADDY, Pierre. Le Corbusier e l'Arlecchino. *Rassegna*, p. 3, 1980.

dela.[61] Essa casa é um comentário sobre a nova condição. As distinções entre *dentro* e *fora* são problematizadas aqui. Nessa cobertura, quando o piso elevado do terraço é alcançado, as altas paredes da *chambre ouverte*[62] só permitem que fragmentos do *skyline* urbano emerjam: o topo do Arco do Triunfo, a Torre Eiffel, o Sacré Coeur, Invalides etc. (Imagem 33). E é apenas ao permanecer do lado de dentro e usar a câmera obscura periscópica que se torna possível apreciar o espetáculo metropolitano (Imagem 34). Tafuri escreveu: "A distância interposta entre a cobertura e o panorama parisiense é assegurada por um dispositivo tecnológico, o periscópio. Uma 'inocente' reunificação entre o fragmento e o todo não é mais possível; a intervenção de artifícios é uma necessidade".[63]

Mas se esse periscópio, essa forma primitiva de prótese, esse "membro artificial", para retomar o conceito de Le Corbusier em *L'Art décoratif d'aujourd'hui*, é *necessário* no apartamento Beistegui (assim como eram o resto dos *artifícios* nessa casa, os dispositivos emoldurantes movidos a eletricidade, as outras próteses), é apenas porque o apartamento *ainda* está localizado em uma cidade do século XIX: é uma cobertura no Champs-Elysées. Em condições urbanas "ideais", a própria casa se torna o artifício.

Para Le Corbusier, as novas condições urbanas são uma consequência da mídia, que institui uma relação entre artefato e natureza

---

61   No mesmo período em que o apartamento de Beistegui estava sendo construído, *La Compagnie parisienne de distribution d'électricité* (A Companhia parisiense de distribuição de eletricidade) publicou um livro de anúncios, *L'Électricité à la maison* (Eletricidade em casa), na tentativa de ganhar clientes. Nesse livro, a eletricidade se faz *visível* por meio da arquitetura. Uma série de fotografias de André Kertesz apresenta vistas de interiores feitos por arquitetos contemporâneos, entre eles, A. Perret, Chausat, Laprade e M. Perret. A mais extraordinária provavelmente é um close de uma janela "horizontal" em um apartamento de Chausat, uma vista de Paris do lado de fora e um ventilador pousado no peitoril da janela. A imagem marca a divisão entre a função original da janela, ventilação, agora substituída por uma máquina elétrica, e as funções modernas de uma janela, iluminar e enquadrar uma vista.

62   Do francês, câmara aberta, o que nesse caso funciona como um contraponto à câmara obscura, mecanismo fotográfico. [N.T.]

63   TAFURI, Manfredo. Machine et mémoire: The City in the Work of Le Corbusier. In: *Le Corbusier*. Princeton: Princeton University Press, 1987, p. 203.

30. Apartamento Charles de Beistegui, Paris, 1929-31

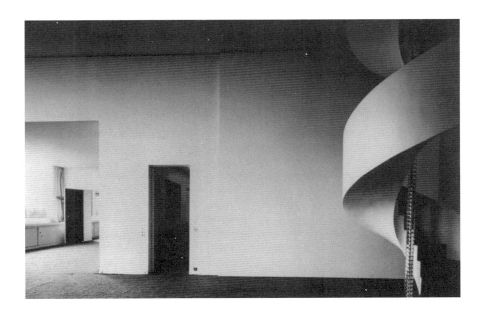

31. Apartamento Beistegui, Paris, 1929-31
Vista da sala de estar para a sala de jantar.

32. Apartamento Beistegui, Paris, 1929-31
Terraço.

33. Apartamento Beistegui, Paris, 1929-31
"La chambre à ciel ouvert" (O cômodo a céu aberto).

34. Apartamento Beistegui, Paris, 1929-31
Periscópio.

que torna a "defensividade" de uma janela loosiana, de um sistema loosiano, desnecessária. Em *Urbanismo*, na mesma passagem na qual ele se refere à "janela de Loos", Le Corbusier também escreve: "O olhar horizontal conduz longe[...] Desses escritórios de trabalho nos viria portanto o sentimento de vigias dominando um mundo em ordem. [...] Tudo se concentra aí: aparelhos abolem o tempo e o espaço, telefones, cabos e rádios"[64]. O olhar interior, o olhar voltado para si, dos interiores de Loos se torna, com Le Corbusier, um olhar de dominação sobre o mundo exterior. Mas por que esse olhar é horizontal?

O debate entre Le Corbusier e Perret sobre a janela horizontal fornece uma chave para essa pergunta.[65] Perret sustentava que a janela vertical, a *porte fenêtre*, "reproduz uma impressão de espaço completo" porque permite a vista da rua, do jardim e do céu, enquanto a janela horizontal, *la fenêtre en longueur*, diminui "a percepção e *corrige* a apreciação da paisagem". O que a janela horizontal exclui do cone de visão é a faixa de céu e a faixa do primeiro plano que sustentam a ilusão de profundidade de campo. A *porte fenêtre* de Perret corresponde ao espaço da perspectiva. A *fenêtre en longueur* de Le Corbusier, ao espaço da fotografia. Não é por acaso que Le Corbusier continua sua polêmica com Perret em uma passagem em *Precisões* na qual ele "demonstra" cientificamente que a janela horizontal ilumina melhor. Ele o faz usando uma tabela de fotógrafo que apresenta tempos de exposição. Ele escreve:

> Afirmei que a janela corrida, que precede o pano de vidro, ilumina melhor que as janelas verticais. É o que pude observar na prática, mas há quem me contradiga com a maior veemência. Disseram-me, por exemplo: "Uma janela é um homem, fica de pé!" Assim seja, se o que se quer são "palavras". Ora, descobri recentemente, na tabela de um fotógrafo, dois gráficos explícitos: já

---

64   LE CORBUSIER, *op. cit.*, 2000, p. 174-75.

65   Sobre o debate entre Perret e Le Corbusier, ver: REICHLIN, Bruno. The Pros and Cons of the Horizontal Window. *Daidalos*, n. 13, 1984; e COLOMINA, Beatriz. Le Corbusier and Photography. *Assemblage*, n. 4, 1987.

não me movimento mais no que existe de aproximativo em observações pessoais, estou diante de uma película fotográfica sensível que registra a luz. A tabela diz o seguinte: numa superfície igual, de vidro, uma sala iluminada por uma janela corrida, que encosta em duas paredes contíguas (tudo está ali: refração das ondas luminosas), comporta duas zonas de iluminação: uma zona 1, muito iluminada; uma zona 2, bem iluminada. Por outro vão, comporta quatro zonas de iluminação: a zona 1, muito iluminada (dois setores bem pequenos); a zona 2, bem iluminada (um setor pequeno); a zona 3, mal iluminada (setor grande); a zona 4, escura (setor grande). A tabela acrescenta: Expor quatro vezes menos a placa fotográfica na primeira sala.

A película sensível falou. Por conseguinte!

Senhoras e senhores, leiamos, peço-lhes, nossa situação no mapa da arquitetura e urbanismo.

Deixamos para trás as margens "vignolizadas" dos Institutos. Estamos ao largo. Não nos separemos esta noite sem antes deixar tudo bem esclarecido.

Antes de mais nada, a arquitetura:

Os pilotis sustentam as massas sensíveis da casa acima do solo, no ar. *A vista da casa é uma vista categórica, sem ligação com o solo.*[66] [grifos do autor]

O homem erigido atrás da *porte fenêtre* de Perret foi substituído por uma câmera fotográfica. A vista flutua livremente, "sem ligação com o chão", ou com o homem atrás da câmera (uma tabela analítica de fotógrafos substituiu "observações pessoais"). "A vista da casa é uma vista *categórica*." Ao enquadrar a paisagem, a casa a coloca em um sistema de categorias. A casa é um mecanismo de classificação. Coleciona vistas e, ao fazê-lo, as classifica.

---

66   LE CORBUSIER. *Precisões sobre um estado presente da arquitetura e do urbanismo.* Trad. Carlos Eugênio Marcondes de Moura. São Paulo: Cosac Naify, 2004, p. 65-66.

A casa é um sistema para tirar fotos. O que determina a natureza da fotografia é a janela. Em outra passagem do mesmo livro, a própria janela é vista como a lente de uma câmera:

> Quando adquirimos um aparelho fotográfico estamos decididos a registrar as vistas no inverno crepuscular de Paris ou nas areias resplandecentes de um oásis. Então o que devemos fazer? *Recorremos ao diafragma.* Seus panos de vidro, suas janelas corridas estão inteiramente preparadas para que se use o diafragma à vontade. Vocês deixarão a luz penetrar onde lhes parece melhor.[67]

Se a janela é uma lente, a própria casa é uma câmera apontada para a natureza. Destacada da natureza, ela é móvel. Assim como a câmera pode ser levada de Paris para o deserto, a casa pode ser levada de Poissy a Biarritz e à Argentina. Novamente em *Precisões*, Le Corbusier descreve a Villa Savoye como segue:

> A casa é uma caixa de ar, perfurada em toda a volta, sem interrupção, por uma janela corrida. [...] A caixa se eleva no meio dos prados, dominando o pomar. [...] As simples pilastras do andar térreo, mediante uma disposição correta, recortam a paisagem com uma regularidade que tem por efeito suprimir toda noção de "frente" ou "fundo" da casa, de "lateral" da casa. A planta é pura e atende as necessidades mais precisas. Sua situação é a mais correta possível, na paisagem agreste de Poissy. Em Biarritz ela seria magnífica. [...] Implantarei esta mesma casa em algum canto do belo campo argentino. Teremos 20 casas que despontarão entre o alto arvoredo de um pomar, onde as vacas continuarão a pastar.[68]

67   Idem, p. 135.
68   Idem, p. 139.

A casa está sendo descrita em termos da maneira como enquadra a paisagem e do efeito desse enquadramento na percepção que o visitante em movimento tem dela. A casa está no ar. Não tem frente nem costas, não há laterais nessa casa.[69] Ela pode estar em qualquer lugar. A casa é *imaterial*. Ou seja, não é simplesmente construída como objeto material do qual, então, certas vistas se tornam possíveis. A casa não é mais do que uma série de vistas coreografadas pelo visitante, do mesmo modo como um cineasta efetua a montagem de um filme.[70]

Isso também é evidente na descrição de Le Corbusier do processo seguido na construção da *petite maison*[71] nas margens do lago Léman:

> Eu sabia que a região onde a casa seria construída comportava um setor de 10 a 15 quilômetros de pequenas encostas que desciam para o lago. Um ponto fixo: o lago. Um outro, a vista magnífica, frontal; um outro, o Sul, igualmente frontal.
>
> Seria necessário, antes de mais nada, estudar o terreno e traçar o plano de acordo com ele? Este é o método corrente.
>
> Penso que seria melhor fazer uma planta exata, de modo

---

69   Esse apagamento da frente, apesar da insistência da crítica tradicional em que os edifícios de Le Corbusier devem ser entendidos em termos de suas fachadas, é tema central dos escritos de Le Corbusier. Por exemplo, sobre o projeto para o Palácio das Nações em Genebra, ele escreveu: "Mas então, perguntar-me-ão inquietos, o senhor construiu paredes em torno ou entre seus pilotis para não transmitir a angustiante sensação dessas edificações no ar? Oh, de modo algum! Mostro com satisfação estes pilotis que sustentam algo, que se veem refletidos na água, que deixam passar a luz sob as edificações, *eliminando assim todo conceito de 'frente' e 'fundo' da construção.*" *Precisões*, p. 58 (grifos da autora).

70   Significativamente, Le Corbusier representou alguns de seus projetos, como a Villa Meyer e a Maison Guiette, no formato de uma série de esboços agrupados representando a percepção da casa por um olho em movimento. Como já foi notado, esses desenhos sugerem *storyboard* de filmes, cada imagem um *still*. WRIGHT, Lawrence. *Perspective in Perspective*. Londres: Routledge and Kegan Paul, 1983, p. 240-41.

71   Do francês, pequena casa, também podendo ser compreendido como um chalé. [N.T.]

ideal conforme o uso que dela se espera, determinado pelos três fatores já anunciados. Isso feito, partir, com o plano no bolso, em busca de um terreno vantajoso.[72]

"A chave para o problema da habitação moderna" é, de acordo com Le Corbusier, "habitar primeiro", "se colocar em seguida" ("Habiter d'abord", "Venir se placer ensuite"). Mas o que significa, nesse caso, "habitação" e "colocação"? Os "três fatores" que "determinam o plano" da casa – "o lago, a magnífica vista frontal e o sul, igualmente frontal" – são precisamente os mesmos que determinam uma fotografia. Aqui, "habitar" significa habitar aquela imagem. "Arquitetura é feita na cabeça", depois desenhada. Somente então procura-se o lugar. Mas o lugar é apenas onde a paisagem é "captada", enquadrada por uma lente móvel. Essa foto-oportunidade está na intersecção do sistema de comunicação que estabelece essa mobilidade, a ferrovia, com a paisagem.[73] Mas mesmo a paisagem é aqui entendida como uma faixa de 10 a 15 quilômetros, e não como um lugar no sentido tradicional. A câmera pode ser montada em qualquer lugar dentro dessa faixa.

A casa é desenhada já com uma imagem em mente. A casa é desenhada como uma moldura para essa imagem. A moldura estabelece a diferença entre "ver" e simplesmente olhar. Ela produz a imagem ao domesticar a paisagem "dominadora":

---

72   LE CORBUSIER, *op. cit.* 2004, p. 131.

73   "A situação geográfica confirmou nossa escolha, pois na estação ferroviária a vinte minutos daqui, param trens que ligam aqui a Milão, Zurique, Amsterdã, Paris, Londres, Genebra e Marselha [...]". LE CORBUSIER. *Une Petite Maison.* Zurique: Editions d'Architecture, 1954, p. 8. A rede ferroviária é entendida aqui como *geografia.* As "características ou arranjo de lugar" ("geografia" de acordo com o dicionário Oxford) são agora definidas pelo sistema de comunicação. É precisamente dentro desse sistema que a casa se move: "em 1922, 1923 eu embarquei no expresso Paris-Milão diversas vezes, ou no Expresso Oriente (Paris-Ancara). No meu bolso estava a planta de uma casa. Uma planta sem lugar? Uma planta de uma casa à procura de um lote de terra? Sim!" Idem, p. 5.

O propósito da parede vista aqui é bloquear a vista para o norte e o leste, parcialmente para o sul, e para o oeste; pois o onipresente e dominador cenário em todos os lados tem um efeito cansativo a longo prazo. Você já notou que nessas condições ninguém mais "vê"? Para atribuir significado ao cenário, deve-se restringi-lo e lhe dar proporção; a vista deve estar bloqueada por paredes que só são perfuradas em certos pontos estratégicos que permitam uma vista desimpedida.[74]

É essa domesticação da vista que faz da casa uma casa, não a provisão de um espaço doméstico, um *lugar* no sentido tradicional. Dois desenhos publicados em *Une Petite maison* falam sobre o que Le Corbusier chama de "se colocar". Em um deles, *On a découvert le terrain* (Imagem 35), uma pequena figura humana aparece de pé e ao seu lado há um grande olho, autônomo da figura, orientado para o lago. A planta da casa está entre eles. A casa está representada como aquilo entre o olho e o lago, entre o olho e a vista. A pequena figura é quase um acessório. O outro desenho, *Le Plan est installé* (Imagem 36), não mostra, como o título indica, o encontro da planta com o terreno, como tradicionalmente o entendemos. (O terreno não está no desenho. Até mesmo a curva da margem do lago que aparece no outro desenho foi apagada). O desenho mostra a planta da casa, uma faixa de lago e uma faixa das montanhas. Ou seja, mostra a planta e, acima dela, a vista. O "local" é um plano vertical, aquele da visão.

Claro, não existe "original" na nova arquitetura, pois ela não é dependente do lugar específico. Ao longo de seus escritos, Le Corbusier insiste na autonomia relativa da arquitetura com relação ao local.[75] E, em face do local tradicional, ele constrói um "local

---

74   Idem, p. 22-23.

75   Por exemplo, no texto *La Maison des hommes* (Paris: Plon, 1942, p. 68), de Le Corbusier e François de Pierrefeu, ele escreve: "Hoje, a conformidade do piso com a casa não é mais uma questão de base ou de contexto imediato". É significativo que esse e outros trechos desse livro tenham sido omitidos na tradução para o inglês, *The Home of Man* (Londres: Architectural Press, 1948).

artificial".[76] Isso não significa que essa arquitetura é independente do lugar. O conceito de "lugar" que mudou. Não estamos falando aqui sobre um lugar, mas sobre uma vista. Uma vista pode ser acomodada em diversos lugares.

A "propriedade" se mudou do plano horizontal para o vertical. (Até a localização primária de Beistegui de um ponto de vista tradicional, o *endereço* – Champs Elysées – está completamente subordinada à *vista*.)[77] A janela é um problema urbanístico. É por isso que ela se torna ponto central de toda proposta urbana feita por Le Corbusier. No Rio de Janeiro, por exemplo, ele desenvolveu uma série de desenhos em vinheta que representam a relação entre espaço doméstico e espetáculo:[78]

> Esta pedra no Rio de Janeiro é celebrada.
> Ao redor dela corre o emaranhado de montanhas, banhadas pelo mar.
> Palmeiras, bananeiras; o esplendor tropical vivifica o lugar.
> Alguém para, instala sua poltrona.
> Crack! Uma moldura ao redor de tudo.
> Crack! Os quatro oblíquos de uma perspectiva. Seu quarto é instalado diante desse lugar. A paisagem marítima inteira invade seu cômodo.
> (Imagem 37)[79]

---

76 Sobre seu projeto para o Rio de Janeiro, ele escreve: "Aqui você tem a ideia: aqui você tem *sítios artificiais*, incontáveis novas casas, e com relação ao tráfego – o nó górdio foi cortado". LE CORBUSIER, *op. cit.*, 1967, p. 224.

77 Em *Precisões*, ele escreve: "A rua é independente da casa. A rua é independente da casa. Reflita sobre isso". LE CORBUSIER, *op. cit.*, 2004, p. 62. Mas deve-se notar que é a rua que é independente da casa, e não o contrário.

78 Sobre a associação da noção de espetáculo com a de moradia, ver DAMISCH, Hubert. Les trétaux de la vie modern. In: *Le Corbusier: une encyclopédie*. Paris: Centre Georges Pompidou, 1987, p. 252-59. Ver também REICHLIN, Bruno. L'Esprit de Paris. *Casabella*, n. 531-32, 1987, p. 52-63.

79 LE CORBUSIER; PIERREFEU, *op. cit.*, p. 87.

35. *"On a découvert le terrain"* (Descobrimos o terreno)
Une Petite maison, 1954.

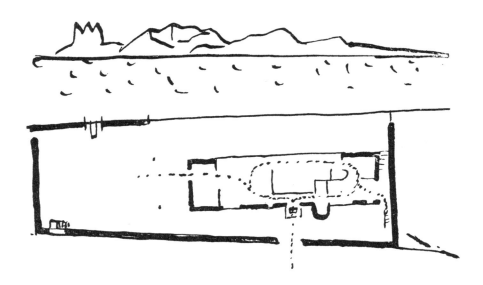

36. *"Le Plan est installé…"* (A planta é estabelecida…)
Une Petite maison, 1954.

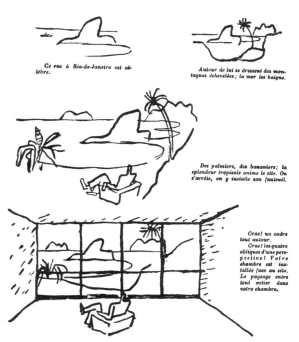

37. Rio de Janeiro
Esta vista é construída ao mesmo tempo que a casa.
La Maison des hommes, 1942.

Primeiro uma vista famosa, um cartão-postal, uma imagem. (E não é por acaso que Le Corbusier não apenas desenhou essa paisagem de um cartão-postal, mas o publicou ao lado de desenhos em *La Ville Radieuse*).[80] Então, alguém habita o espaço em frente a essa imagem, instala uma poltrona. Mas essa vista, essa imagem, só é construída ao mesmo tempo que a casa.[81] "Crack! Uma moldura ao redor dela. Crack! Os quatro oblíquos de uma perspectiva." A casa é instalada *diante* do lugar, não *no* lugar. A casa é uma moldura para a vista. A janela é uma tela gigante. Mas então a vista *entra* na casa, ela está literalmente "inscrita" no contrato de locação:

> O pacto com a natureza foi selado! Pelos meios disponíveis ao planejamento da cidade, é possível colocar a natureza na locação. O Rio de Janeiro é um lugar celebrado. Mas Argel, Marselha, Orã, Nice e toda a Côte d'Azur, Barcelona e muitas cidades à beira-mar e no interior podem se vangloriar de paisagens admiráveis.[82]

De novo, vários lugares podem acomodar esse projeto: localizações diferentes, imagens diferentes (como o mundo do turismo). Mas também outras imagens da mesma localização. A repetição de unidades com janelas em ângulos levemente diferentes, molduras diversas, como ocorre quando essa célula se torna uma unidade do projeto urbano para o Rio de Janeiro, um projeto que consiste em uma faixa de seis quilômetros de unidades habitacionais sob uma rodovia apoiada em pilotis, sugere novamente a ideia de uma tira de película de filme (Imagem 38). Esse senso de tira de película de filme é sentido tanto no interior como no exterior: "Arquitetura? Natureza? Passageiros de navio entram e veem a cidade nova e *horizontal*: ela torna o lugar ainda mais sublime. Apenas pense nesse amplo *laço de luz* à noite [...]"[83]. A tira de habitação é uma tira de película de filme, nos dois lados.

80   LE CORBUSIER, *op. cit.*, 1967, p. 223-25.
81   Cf. DAMISCH, *op. cit.*, p. 256.
82   LE CORBUSIER; PIERREFEU, *op. cit.*, p. 87.
83   LE CORBUSIER, *op. cit.*, 1967, p. 224.

Para Le Corbusier, "habitar" significa habitar a câmera. Mas a câmera não é um lugar tradicional, é um sistema de classificação, uma espécie de arquivo. "Habitar" significa empregar esse sistema. Só depois disso temos "colocação", que é colocar a vista na casa, tirar uma foto, colocar a vista no arquivo, classificar a paisagem.

Essa transformação crítica do modo de pensar arquitetônico tradicional sobre lugar também pode ser vista em *La Ville Radieuse*, onde um esboço representa a casa com uma célula com uma vista (Imagem 39). Aqui, um apartamento, bem no alto, é apresentado como um terminal de telefone, gás, eletricidade e água. Esse apartamento também é provido de um "ar sob medida" (aquecimento e ventilação).[84] Dentro do apartamento há uma pequena figura humana e, na janela, um olho gigante olhando para fora. Eles não coincidem. O apartamento em si é aqui o artifício entre o ocupante e o mundo exterior, uma câmera (e um ventilador mecânico). O mundo exterior também se torna artifício; como o ar, foi condicionado, "paisagificado" – *torna-se* paisagem. O apartamento define a subjetividade moderna com seu próprio olho. O sujeito tradicional só pode ser o *visitante* e, como tal, uma parte temporária do mecanismo de visão. O sujeito humanista foi substituído.

A etimologia da palavra *window* (janela) revela que ela combina *wind* (vento) e *eye* (olho)[85] (ventilação e luz nos termos de Le Corbusier). Como observou Georges Teyssot, a palavra combina "um elemento do exterior e um aspecto de interioridade. A separação na qual a moradia se baseia é a possibilidade de um ser se instalar."[86] Mas para Le Corbusier essa instalação divide o próprio sujeito, em vez de simplesmente separar o fora e o dentro.

---

84   Enquanto a janela de Loos tinha separado vista de luz, Le Corbusier separa *respiração* dessas duas formas de *luz*. "[…] 'uma janela é feita para iluminar, não para ventilar!' Se for para ventilar, usemos aparelhos de ventilação. Trata-se aí de mecânica, de física." LE CORBUSIER, *op. cit.*, 2004, p. 65.

85   KLEIN, E. *A Complete Etymological Dictionary of the English Language*. Amsterdã, Londres, Nova York, 1966. Citado em FRANK, Ellen Eve. *Literary Architecture*. Berkeley: University of California Press, 1979, p. 263; e em TEYSSOT, Georges. Water and Gas on all Floors. *Lotus*, n. 44, 1984, p. 90.

86   Idem, ibidem.

38. Rio de Janeiro
A rodovia, elevada 100 metros e "lançada" de morro a morro sobre a cidade. La Ville Radieuse, 1933.

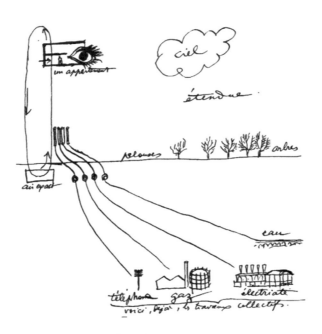

39. Croqui em La Ville Radieuse, 1933

A instalação envolve uma geometria convoluta que emaranha a divisão entre interior e exterior, entre o sujeito e ele próprio.

É precisamente nos termos do visitante que Le Corbusier escreveu sobre o ocupante. Por exemplo, sobre a Vila Savoye, ele escreveu em *Precisões*:[87]

> Os visitantes, até aqui, voltam-se e tornam a voltar-se para o interior, perguntando-se como tudo isso acontece e dificilmente compreendem os motivos daquilo que veem e sentem. Já não encontram mais nada daquilo que se convencionou denominar uma "casa". Sentem-se em outra coisa inteiramente nova. E... creio que não se entediam![88]

O ocupante da casa de Le Corbusier é deslocado, primeiro porque ele está desorientado. Ele não sabe como se colocar em relação a essa casa. Ela não se parece com uma "casa". Depois porque o ocupante é um "visitante". Diferentemente do ocupante das casas de Loos, que é tanto ator como espectador, tanto envolvido como destacado do palco, o sujeito de Le Corbusier é separado da casa com a distância de um visitante, um observador, um fotógrafo, um turista.

Em uma fotografia do interior da Villa Church (Imagem 40), um chapéu casualmente colocado e dois livros abertos na mesa anunciam que alguém estava ali havia pouco. Uma janela com as proporções tradicionais de uma pintura é emoldurada de modo que a faz ser interpretada também como uma tela. No canto do cômodo, aparece uma câmera sobre um tripé. Ela é o reflexo no espelho da câmera que tira a fotografia. Como observadores dessa fotografia, nós estamos na posição do fotógrafo, ou seja, na posição da câmera, porque o fotógrafo, como o visitante, já saiu do cômodo. O sujeito (o visitante da casa, o fotógrafo, mas também o observador dessa fotografia) já saiu. O sujeito na casa de Le Corbusier é alienado e deslocado de "sua" própria casa.

---

87   Le Corbusier recomendou que Madame Savoye deixasse um livro para visitas assinarem na entrada: ela iria coletar muitas assinaturas, como o fizera La Roche. Mas La Roche também era uma galeria. Aqui, a casa em si se tornou objeto de contemplação, não os objetos dentro dela.

88   LE CORBUSIER, *op. cit.*, 2004, p. 138.

40. Villa Church, Ville d'Avray, 1928-29

Os objetos deixados como "rastros" nas fotografias das casas de Le Corbusier tendem a ser os de um "visitante" (masculino) (chapéu, casaco etc.). Nunca encontramos nenhum vestígio de "domesticidade" como tradicionalmente a entendemos.[89] Esses objetos também podem ser entendidos como representando o arquiteto. O chapéu, o casaco, os óculos definitivamente são dele. Assumem o mesmo papel de Le Corbusier quando atuou no filme *L'Architecture d'aujourd'hui*, no qual ele passeia pela casa em vez de habitá-la. O arquiteto é alienado de seu trabalho com a mesma distância de um visitante ou um ator de cinema. "O ator de teatro, ao aparecer no palco, entra no interior de um papel. Essa possibilidade é muitas vezes negada ao ator de cinema. Sua atuação não é unitária, mas decomposta em várias sequências individuais [...]"[90]. O teatro sabe, necessariamente, sobre "posicionamento", no sentido tradicional. Ele sempre tem a ver com presença. Tanto o ator como o espectador estão fixados num espaço e num tempo contínuos, aqueles da performance. O trabalho do ator é dividido em uma série de episódios descontínuos e montáveis. A natureza da ilusão para o espectador é resultado da montagem.

O sujeito da arquitetura de Loos é o ator de palco. Mas, enquanto o centro da casa é deixado vazio para que a performance ocorra, encontramos o sujeito ocupando o limiar desse espaço. Minando suas fronteiras. O sujeito é dividido entre ator e espectador de sua própria peça. A completude do sujeito se dissolve ao mesmo tempo que a parede que ela/e está ocupando.

No trabalho de Le Corbusier o sujeito é o ator de cinema, "alienado não apenas da cena, mas de sua própria

---

89   Não é uma xícara de chá casualmente colocada que encontramos, mas um arranjo "artístico" de objetos da vida cotidiana, como nas cozinhas de Savoye e Garches. Podemos falar aqui mais sobre "naturezas-mortas" que sobre domesticidade.

90   BENJAMIN, Walter. A obra de arte na era de sua reprodutibilidade técnica. In: *Magia e técnica, arte e política: ensaios sobre a literatura e história da cultura*. Trad. Sérgio Rouanet. 8. ed. rev. São Paulo: Brasiliense (*Obras Escolhidas*, v. I.), 2012, p. 196.

pessoa".[91] Esse momento de alienação é claramente marcado no desenho da Ville Radieuse, no qual a figura humanista tradicional, o habitante da casa, é tornada incidental ao olho da câmera: vai e vem, é simplesmente um visitante.

A divisão entre o sujeito humanista tradicional (o ocupante ou o arquiteto) e o *olho* é a divisão entre *olhar* e *ver*, entre *fora* e *dentro*, entre *paisagem* e *lugar*. Nos desenhos, o habitante ou a pessoa à procura de um lugar são representados como figuras diminutas. De repente essa figura vê. Uma fotografia é tirada, um olho grande, autônomo, da figura, representa aquele momento. Esse é precisamente o momento da *habitação*. Essa habitação é independente do *lugar* (entendido no sentido tradicional); torna o "fora" um "dentro":

> Percebo que a obra que construímos não é nem só nem isolada; que a atmosfera em torno dela constitui outras paredes, outros solos, outros tetos, que a harmonia que me fez parar diante daquele rochedo na Bretanha existe, pode existir em todos os lugares, sempre. O que está fora me encerra em seu todo, que é como um aposento. A harmonia busca suas fontes longe, em todos os lugares, em tudo. Como estamos distantes dos "estilos e do bonito desenho no papel![92]

"Le dehors est toujours un dedans" (o fora é sempre um dentro) significa que o "fora" é uma imagem. E que "habitar" significa "ver". Em *La Maison des hommes* há um desenho de uma figura em pé e (de novo), lado a lado, um olho independente: "Não esqueçamos que nosso olho está a 1,68 metro acima do chão; nosso olho, essa porta de entrada para nossas percepções

---

91   Pirandello descreve o estranhamento que o ator experiencia diante do mecanismo da câmera cinematográfica: "O ator de cinema sente-se exilado. Exilado não somente do palco, mas de si mesmo. Com um obscuro mal-estar, ele sente o vazio inexplicável resultante do fato de que seu corpo perde a substância, volatiliza-se, é privado de sua realidade, de sua vida, de sua voz, e até dos ruídos que ele produz ao deslocar-se, para transformar-se numa imagem muda que estremece na tela e depois desaparece em silêncio". Luigi Pirandello, *Si Gira*, apud BENJAMIN, *op. cit.*, p. 194.

92   LE CORBUSIER, *op. cit.*, 2004, p. 86.

arquitetônicas"[93]. O olho é uma "porta" para a arquitetura; a "porta" é, claro, um elemento arquitetônico, a primeira forma de uma "janela".[94] Adiante no livro, "a porta" é substituída por equipamentos de mídia, "o olho é a ferramenta de gravação".

> O olho é uma ferramenta de registro. Está situado a 1,68 metro acima do chão.
> Caminhar gera diversidade no espetáculo diante de nossos olhos. Mas nós deixamos o chão em um avião e adquirimos os olhos de um pássaro. Nós vemos, na verdade, aquilo que até agora só era visto pelo espírito.[95]

A janela é, para Le Corbusier, antes de tudo, comunicação. Ele repetidamente sobrepõe a ideia da janela "moderna", uma janela de observação, uma janela horizontal, à realidade das novas mídias: "telefone, telégrafo, rádios, [...] máquinas para abolir o tempo e espaço." O controle agora está nessas mídias. O poder se tornou "invisível". O olhar dos arranha-céus de Le Corbusier que vai "dominar um mundo em ordem" não é nem o olhar de detrás do periscópio de Beistegui nem a vista defensiva (voltada para si mesma) dos interiores de Loos. É um olhar que "registra" a nova realidade, um olho "gravador".

A arquitetura de Le Corbusier é produzida por um engajamento com a mídia de massa, mas, assim como ocorre com Loos, a chave para a posição dele é, no fim, encontrada em suas declarações sobre moda. Enquanto para Loos o terno inglês era a máscara necessária para sustentar o indivíduo nas condições de existência metropolitanas, para Le Corbusier esse terno é incômodo e ineficiente. E, enquanto Loos contrasta a *dignidade* da moda masculina britânica com o *disfarce* da moda feminina, Le Corbusier louva a moda feminina em comparação à masculina porque ela passou por mudança, a *mudança* dos tempos modernos.

---

93   LE CORBUSIER; PIERREFEU, *op. cit.*, p. 100.
94   VIRILIO, Paul. The Third Window: An Interview with Paul Virilio. In: SCHNEIDER, Cynthia; WALLIS, Brian (eds.). *Global Television*. Nova York, Cambridge: Wedge Press e MIT Press, 1988, p. 191.
95   LE CORBUSIER; PIERREFEU, *op. cit.*, p. 125.

A mulher nos precedeu. Ela realizou a reforma de seu traje. Ela encontrava-se num impasse: seguir a moda e então renunciar à contribuição das técnicas modernas, à vida moderna. Renunciar ao esporte e, problema mais material, não poder aceitar empregos que lhe permitiriam ter uma participação fecunda na atividade contemporânea e ganhar a vida. Seguir a moda: ela não podia pensar em guiar; não podia tomar nem o metrô nem o ônibus, não podia sequer agir com desenvoltura em seu escritório ou na loja. Para poder realizar sua toalete diária – pentear-se, calçar o sapato, abotoar o vestido – ela não tinha mais tempo para dormir.

Então a mulher cortou os cabelos, suas saias e suas mangas. Agora está com a cabeça descoberta, os braços de fora e as pernas livres. Veste-se em cinco minutos. E é bela, seduz com o encanto de suas graças, das quais os modistas resolveram tirar partido.

A coragem, o ímpeto, o espírito de invenção com os quais a mulher realizou a revolução no seu modo de trajar são um milagre dos tempos modernos. Obrigado! E nós homens? Que pergunta enfadonha! Com traje de passeio, parecemos generais do exército e usamos colarinhos engomados! Com roupa de trabalho nos sentimos incomodados...[96]

Enquanto Loos fala, você irá se lembrar, do exterior da casa em termos da moda masculina, os comentários de Le Corbusier sobre moda são feitos no contexto de uma discussão sobre o interior. A mobília no estilo (Luís XIV) deve ser substituída por equipamento (mobiliário-padrão, em grande parte derivado de mobília de escritório), e essa mudança é assimilada à mudança que as mulheres realizaram em seu vestuário. Ele admite, no entanto, que há certas vantagens na vestimenta masculina:

---

96   LE CORBUSIER, *op. cit.*, 2004, p. 112.

O terno inglês que usamos realizou algo importante: neutralizou-nos. É útil exibir um aspecto neutro na cidade. O signo dominante já não está nas plumas de avestruz no chapéu, está no olhar. Isto basta.[97]

Com exceção desse último comentário, "O signo dominante [...] está no olhar", a declaração de Le Corbusier é puramente loosiana. Mas, ao mesmo tempo, é precisamente aquele *olhar* do qual fala Le Corbusier que marca suas diferenças. Para Le Corbusier, o interior não precisa mais ser definido como um sistema de defesa do exterior (o sistema de olhares nos interiores de Loos, por exemplo). Dizer que "o exterior sempre é um interior" significa, entre outras coisas, que o interior não é simplesmente o território limitado definido por sua oposição ao exterior. O exterior está "inscrito" na habitação. A janela na era de comunicação de massa nos proporciona uma imagem mais achatada. A janela é uma tela. Daí brota a insistência em eliminar cada elemento saliente, "desvignolizando" a janela, suprimindo o parapeito: "O sr. Vignole não se preocupa com as janelas, mas com as 'entre-janelas' (pilastras ou colunas). Desvignolizo, afirmando: *a arquitetura são pisos iluminados*."[98]

Claro, essa tela solapa a parede. Mas aqui ela não é, como nas casas de Loos, um solapamento físico, mas uma *desmaterialização* decorrente da mídia emergente. A organização geométrica da arquitetura desliza da perspectiva cônica da visão, do olho humanista, para o ângulo da câmera.

Mas esse deslizamento não é, certamente, neutro em termos de gênero. A moda masculina é desconfortável, mas provê aquele que a veste com "o olhar", "o sinal dominante"; a moda feminina é prática e transforma a mulher no objeto do olhar de outro: "A mulher moderna cortou os cabelos. Nossos olhares passaram a conhecer (apreciar) o formato de suas pernas." Uma imagem. Ela não vê nada. Ela é um anexo à parede que simplesmente não está mais lá. Cercada por um espaço cujos limites são definidos por um olhar.

---

97   Idem, p. 113.
98   Idem, p. 62.

O século da cama[1]

The Century of the Bed

No que agora é provavelmente uma estimativa datada, em 2012, o jornal *The New York Times* reportou que 80% dos jovens profissionais de Nova York trabalhavam na cama. Milhões de camas dispersas estão substituindo as concentrações de edifícios de escritório. O *boudoir*[2] está vencendo a torre. As tecnologias eletrônicas em rede eliminaram todos os limites do que pode ser feito na cama. Não é só que novas mídias possibilitaram a cama/escritório. Novas mídias são projetadas para estender o sonho centenário de conectividade doméstica a milhões de pessoas. A cidade se mudou para a cama.

Como chegamos aqui? Em seu famoso e curto texto *Luís Filipe*, ou o *interieur*,[3] Walter Benjamin escreveu sobre a separação entre trabalho e casa no século XIX:

> Sob Luís Filipe, o homem privado pisa o palco da história. [...] Pela primeira vez, o espaço em que vive o homem privado se contrapõe ao local de trabalho. Organiza-se no interior da moradia. O escritório é seu complemento. O homem privado, realista no escritório quer que o *interieur* sustente as suas ilusões. Esta necessidade é tanto mais aguda quanto menos ele cogita estender os seus cálculos comerciais às suas reflexões sociais. Reprime ambas ao confirmar o seu pequeno mundo privado. Disso se originam as fantasmagorias do "interior", da interioridade. Para o homem privado,

1   Texto originalmente publicado em 2014 em edição bilíngue de catálogo do evento anual *Curated by Vienna*, que articula mostras em galerias de arte da cidade. O catálogo, que reúne textos de Andreas Rumpfhuber e August Ruhs, além de Beatriz Colomina, se refere à edição do evento de 2014 que recebeu o tema geral *The Century of the Bed*, baseado no ensaio de Colomina. [N.T.]

2   Expressão francesa usada para descrever um cômodo privado, geralmente um quarto ou sala de estar que pertence a uma mulher. [N.T.]

3   Do francês, interior. No caso, se refere a Luís Filipe como homem que passava muito tempo no interior e organizou suas funções e representação social em grande medida nesses espaços; e a seu reinado como momento paradigmático na história ocidental e burguesa no qual as noções de público e privado, interior e exterior assumem certas características. [N.T.]

o interior da residência representa o universo. Nele se reúne o longínquo e o pretérito. O seu *salon* é um camarote no teatro do mundo.[4]

A industrialização trouxe consigo turnos de oito horas e a radical separação entre casa e escritório/fábrica, descanso e trabalho, noite e dia. A pós-industrialização traz o trabalho de volta à casa e o estende ao quarto e à própria cama. A fantasmagoria já não envolve o quarto apenas nos papéis de parede, tecido, imagens e objetos. Agora, está nos aparelhos eletrônicos. O universo inteiro é concentrado numa pequena tela com a cama flutuando em um infinito mar de informação. Deitar-se não é descansar, mas se mover. A cama passa a ser um local de ação. Mas o imobilizado voluntário não necessita de pernas. A cama se tornou a mais nova prótese e, todo um novo setor industrial é dedicado a fornecer dispositivos para facilitar trabalhar deitado: ler, escrever, mandar mensagens, gravar, transmitir, escutar, falar e, claro, comer, beber, dormir ou transar – atividades que ultimamente parecem ter se tornado o próprio trabalho. Nos restaurantes nos Estados Unidos, garçons e garçonetes perguntam se você "ainda está trabalhando nisso?"[5] antes de retirar seu prato ou copo. E infinitos conselhos são dados sobre como você pode "trabalhar" seus relacionamentos pessoais, ou ainda "agendar" sexo com seu parceiro. Dormir também é, definitivamente, um trabalho duro para milhões de pessoas, com a indústria psicofarmacêutica fornecendo novas drogas a cada ano e um exército de especialistas em sono dando conselhos sobre como atingir esse objetivo aparentemente cada vez mais esquivo – tudo, é claro, em nome de maior produtividade. Tudo o que é feito na cama se tornou trabalho.

Essa filosofia já estava personificada na figura de Hugh Hefner,[6] que, sabidamente, quase nunca saía de sua cama, sem falar de sua casa. Ele literalmente transferiu seu escritório para sua cama

---

4   BENJAMIN, Walter. Paris, a capital do século XIX. In: KOTHE, Flavio; FERNANDES, Florestan. *Walter Benjamin.* Sociologia. São Paulo: Ática, 1985, p. 37.

5   Do original em inglês, *working on it*. [N.T.]

6   Empresário estadunidense, fundador e editor-chefe da revista *Playboy*. [N.T.]

em 1960, quando se mudou para a Mansão Playboy, na North State Parkway 1340, em Chicago, tornando-a o epicentro de um império global, assim como seu pijama e seu roupão de seda viraram seu traje de negócios. "Eu não saio nunca de casa!!! [...] Sou um recluso contemporâneo", disse a Tom Wolfe, estimando que a última vez que havia saído de casa fora três meses e meio antes e que nos últimos dois anos ele o havia feito apenas nove vezes.[7] Fascinado, Wolfe o descreveu como "um verde, tenro e inflado coração de alcachofra".[8]

A *Playboy* transformou a cama em espaço de trabalho. Da metade dos anos 1950 em diante, a cama se tornou exponencialmente sofisticada, equipada com todos os tipos de dispositivos de comunicação e entretenimento, como uma espécie de sala de controle. A revista dedicou muitos artigos ao projeto da cama perfeita. Hefner atuava como modelo em sua famosa cama redonda em Chicago. A cama fora apresentada pela primeira vez como um dos destaques do artigo *Playboy Townhouse*, de 1962, no qual foi apresentado, em plantas, cortes e renderizações, um projeto não realizado que, originalmente, fora encomendado para ser a casa do próprio Hefner. Não por acaso, o único objeto de design que acabou sendo construído foi a cama, que foi instalada na Mansão. A cama era em si uma casa. Sua estrutura rotatória e vibradora continha um frigobar, *hi-fi*,[9] telefone, armários para arquivos, bar, microfone, ditafone, câmeras de vídeo, fones de ouvido, televisão, mesa para café da manhã, superfícies de trabalho e controle de toda a iluminação, para o homem que nunca queria sair. A cama era o escritório de Hefner, seu local de trabalho, no qual ele fazia entrevistas, dava telefonemas, escolhia imagens, ajustava diagramações, editava textos, comia, bebia e consultava com as *playmates*.[10]

---

7   WOLFE, Tom. King of the Status Dropouts. In: *The Pump House Gang*. Nova York: Farrar, Straus & Giroux, 1965.

8   Ibid., p. 63.

9   Abreviação de *high-fidelity*, do inglês alta-fidelidade, expressão que define um equipamento sonoro que reproduz som da maneira mais precisa possível. [N.T.]

10   Expressão utilizada para descrever uma mulher que posou nua para a revista *Playboy*. [N.T.]

Hefner não era o único. A cama pode ter sido a máxima expressão do escritório norte-americano na metade do século passado. Em uma entrevista para a *Paris Review*[11] em 1957, perguntou-se a Truman Capote: "Quais são alguns de seus hábitos de escrita? Você usa uma mesa? Você escreve a máquina?" E ele respondeu:

> Sou um autor completamente horizontal. Não consigo pensar a não ser que esteja deitado, seja na cama ou estirado em um sofá com um cigarro e um café à mão. Tenho de estar fumando e bebendo. Com o passar da tarde, eu mudo do café para o chá de menta, depois xerez seguido por martínis. Não, eu não uso uma máquina de escrever. Não no começo. Escrevo a primeira versão a mão. Então faço uma revisão completa, também a mão... Depois datilografo um terceiro rascunho em papel-carbono... Não, não saio da cama para fazer isso. Eu equilibro a máquina nos joelhos. Sim, funciona bem; consigo datilografar cem palavras por minuto.[12]

Da manhã para a tarde e para a noite, as bebidas, o papel e o equipamento mudavam, mas não sua posição na cama.

A era do pós-guerra inaugurou a cama de alta performance como epicentro de produtividade: uma nova forma de industrialização que era exportada mundialmente e havia se tornado disponível para um batalhão de produtores dispersos, porém interconectados. Um novo tipo de fábrica, sem paredes, estava sendo construído por aparelhos eletrônicos compactos e travesseiros extragrandes para a geração 24/7.

---

11 Revista francesa estabelecida em 1953, que publica artigos e ensaios na língua inglesa. [N.T.]

12 CAPOTE, Truman. [Entrevistadora: Patti Hill]. Truman Capote, The Art of Fiction 17. *The Paris Review*, Paris, n. 16, primavera-verão, 1957. Disponível em: https://www.theparisreview.org/interviews/4867/the-art-of-fiction-no-17-truman-capote. Acesso em: 6 abr. 2023.

Os tipos de equipamentos imaginados por Hefner (alguns dos quais, como a caixa postal, não existiam ainda) se expandiram para a geração da internet e das mídias sociais, que não só trabalham em suas camas mas socializam, exercitam-se, leem notícias na cama e mantêm relações sexuais com pessoas a quilômetros de distância de suas camas. A fantasia criada pela *Playboy* da garota da casa ao lado tem mais probabilidade de acontecer hoje com alguém de outro continente do que do mesmo prédio ou bairro – uma pessoa que talvez você nunca tenha visto e talvez nunca veja de novo, e que é impossível saber se é real, se existe num espaço e tempo, ou se é uma construção eletrônica. Mas isso importa? No recente filme *Ela*,[13] um retrato tocante da vida no estado suave, uterino que é um corolário de nossas novas tecnologias móveis, há um sistema operacional chamado Samantha que satisfaz mais como parceira do que uma pessoa. O protagonista se deita na cama com Samantha, conversa, tem discussões, faz amor.

Se, de acordo com Jonathan Crary, o capitalismo é o fim do sono, colonizando cada minuto de nossas vidas voltadas para a produção e o consumo,[14] então as ações dos reclusos voluntários não são tão voluntárias, afinal. Vale observar que o comunismo tinha também suas ideias de como incorporar a cama no local de trabalho. Em 1929, no auge do primeiro plano quinquenal de Stalin, com o dia de trabalho prolongado e a exaustão em massa dos trabalhadores das fábricas ocorrendo em face das surpreendentes alíquotas de produção, o governo soviético organizou um concurso para uma cidade do descanso destinada a 100 mil trabalhadores. Kostantin Melnikov apresentou a "Sonata do Sono", um novo tipo de edifício para sono coletivo, com camas mecânicas que ninavam os trabalhadores para a inconsciência e pisos inclinados que eliminavam a necessidade de travesseiros. Cabines de controle centralizadas com atendentes do sono regulariam temperatura, umidade, cheiro e até mesmo sons, para maximizar o sono.

---

13   Filme dirigido por Spike Jonze, lançado em 2013. [N.T.]

14   CRARY, Jonathan. *24/7: capitalismo tardio e os fins do sono*. São Paulo: Ubu, 2016.

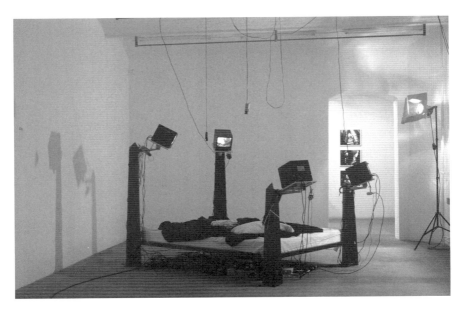

1. Julia Scher, *Always There – Surveillance Bed III* ("Sempre Presente – Cama de Vigilância III"), 1994-2000. Vista da Instalação, Schipper & Krome, Berlim, 2000.

2. John Lennon e Yoko Ono no primeiro dia de seu *Bed-In for Peace* ("Na cama pela paz") no hotel Hilton em Amsterdã, em 25 de março de 1969.

3, *Inflatable Suit-Home* (Traje-casa Inflável), 1968, etapa final da sequência do traje sendo inflado de um pacote até se tornar uma casa, David Greene (realizado por Pat Haines com base no projeto *Suitaloon*, de Michael Webb).

A inspiração foi, sintomaticamente, americana. Melnikov tinha lido sobre uma academia militar em Pensacola, na Flórida, que ensinava idiomas a cadetes enquanto eles dormiam. O sono havia se tornado parte do processo industrial.

Na atual sociedade com déficit de atenção, nós descobrimos que trabalhamos melhor em curtos períodos de trabalho intenso pontuados por momentos de descanso. Hoje, muitas empresas oferecem cápsulas para dormir no escritório para maximizar a produtividade. Cama e escritório nunca estão muito distantes no mundo 24/7. Camas especiais autocontidas foram projetadas para escritórios, transformando-se em cápsulas compactas e herméticas – pequenas espaçonaves que podem ser usadas isoladamente, reunidas em grupos ou alinhadas em fileiras para que o sono seja sincronizado – e entendido como parte do trabalho ao invés de seu oposto.

Entre a cama inserida no local de trabalho e o local de trabalho inserido na cama, uma nova arquitetura horizontal assumiu o controle. Essa arquitetura é ampliada pelas "achatadas" redes das mídias sociais que foram integradas nos meios profissionais, de negócios e industriais em um colapso de distinções tradicionais entre público e privado, trabalho e recreação, descanso e ação. A própria cama, com colchão, roupas de cama e acessórios técnicos cada vez mais sofisticados, é a base de um ambiente intrauterino que combina um senso de interioridade profunda com o de hiper-conectividade com o mundo exterior. Não por acaso, a cama redonda de Hefner foi uma espécie de disco voador flutuando no espaço em um quarto sem janelas, como que em órbita, com a televisão pendurada em cima como referência ao planeta Terra. Redonda, a imagem clássica do universo. A cama hoje também se tornou um universo portátil, equipado com toda tecnologia de comunicação possível. Uma fantasia da metade do século passado tornou-se uma realidade em massa.

Qual é a arquitetura desse novo espaço e tempo? Nos anos 1960 e 1970, arquitetos experimentais se dedicaram a equipar novos nômades móveis, em toda uma galáxia de interiores leves e portáteis, com espaços reclináveis e macios como centro de um complexo de extensões prostéticas.

Todos esses projetos podem ser entendidos como camas de alta performance complementadas por mídia, atmosferas artificiais, cor, luz, cheiro... uma espécie de Melnikov pop-psicodélico, desta vez com o trabalhador dormindo dentro da cabine de controle. Reyner Banham escreveu sobre Jane Fonda nua sobrevoando o espaço em sua bolha horizontal forrada de pelo animal ao mesmo tempo em que, entusiasticamente, incorporava a arquitetura da *Playboy*. O *Escritório Móvel* de Hans Hollein, de 1969, mostrava que o escritório poderia ser em qualquer lugar, definido apenas por uma bolha fina e temporária. Naquele mesmo ano, John Lennon e Yoko Ono organizaram um final de semana *Bed-In for Peace*[15] no hotel Hilton em Amsterdã, durante sua lua de mel, em março de 1969. A ideia do *Bed-in* veio dos protestos "*Sit-in*" [16] e pretendia ser um protesto não violento contra guerras e para promover a paz mundial. "Faça amor, não faça guerra" era o slogan daquele dia, mas, para frustração dos jornalistas, John e Yoko estavam vestidos em seus pijamas, sentados na cama como anjos, segundo John. A cama substituiu as ruas como local de protesto. Eles convidaram a imprensa do mundo todo para irem a seu quarto todo dia das nove da manhã às nove da noite, tratando a cama como um escritório no qual eles trabalhavam enquanto jornalistas afluíam e imagens eram transmitidas.

Qual é a natureza desse novo interior no qual decidimos nos hospedar coletivamente? Qual é a arquitetura dessa prisão na qual dia e noite, trabalho e lazer não são mais diferenciados e na qual estamos permanentemente sob vigilância, mesmo quando dormimos na cabine de controle? As novas mídias nos transformam em companheiros de cela, sob constante fiscalização, mesmo quando celebramos a conectividade infinita. Todos nos tornamos

---

15   Do inglês, Na cama pela paz. [N.T.]

16   As expressões *Bed-in* e *Sit-in* podem ser traduzidas como "ficar na cama" e "ficar sentada". O *in* se refere a fixação de um corpo em uma posição (sentada) ou local (cama). Esse modo de ação não violenta do movimento "*Sit in*" foi usado como tática de protestos pacíficos que tiveram papel crucial no Movimento dos Direitos Civis nos EUA no começo da década de 1960. [N.T.]

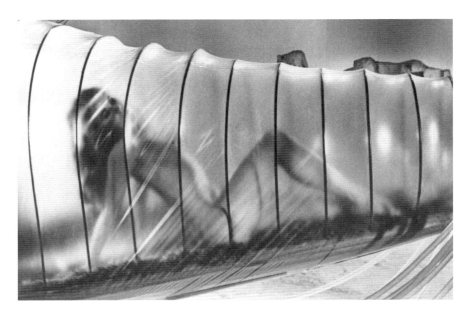

4. Jane Fonda como Barbarella no filme epônimo de Roger Vadim, 1968.

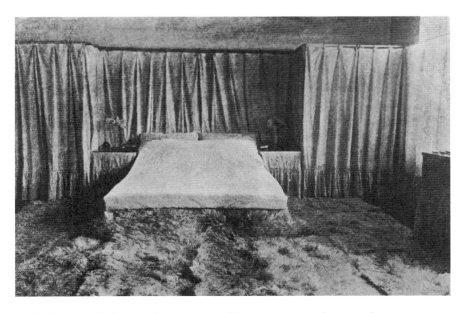

5. Adolf Loos, *Schlafzimmer für meine Frau* (Quarto para a minha esposa), 1903.

"recluso[s] contemporâneo[s]", como disse Hefner meio século atrás. A radical obra *Always There – Surveillance Bed III*, feita por Julia Scher em 1995, completamente envolta por câmeras e monitores, não é mais uma obra de arte. É a norma.

Este projeto curatorial se iniciou com a reflexão acerca do papel radical da cama no último século: do quarto coberto por pele projetado por Adolf Loos para sua jovem esposa, Lina Loos, ao divã de Sigmund Freud, à cama para tuberculosos em sanatórios, à cama da *Playboy*, aos sacos fechados com zíper nas cápsulas espaciais, às radicais bolhas nômades dos arquitetos experimentais dos anos 1960, à cama voadora em *Barbarella*, às atuais cápsulas para cochilos... A cama como um dos locais mais críticos de transações sociais, culturais, artísticas, psicológicas, médicas, sexuais e econômicas não pode mais ser deixada para trás. Citando o protagonista Ulrich, do livro *The Man Without Qualities*, de Robert Musli[17]: "O homem moderno nasce e morre em um hospital, então ele deveria fazer sua casa como um hospital, como afirmou um importante arquiteto do momento". O que diria Ulrich hoje?

---

17   MUSLI, Robert. *The Man Without Qualities.* Nova York: Random House, 1996, p. 15.

Interioridade radical: arquitetura playboy 1953-1979[1]

Radical Interiority: Playboy Architecture 1953-1979

O aviso vem cedo, no editorial da primeira edição da revista *Playboy,* com Marilyn Monroe na capa e a promessa de seu corpo nu dentro da revista:

> Não nos importamos de lhe dizer de antemão – nós planejamos gastar a maior parte de nosso tempo dentro de casa. Gostamos do nosso apartamento.[2] Gostamos de fazer coquetéis e um *hors d'oeuvre*[3] ou dois, colocar uma música relaxante no fonógrafo e convidar uma conhecida para uma discussão tranquila sobre Picasso, Nietzsche, jazz, sexo.[4]

O homem playboy é um homem caseiro. Mas por que "não nos importamos"? Por que eles se importariam? O que há para se importar? O editorial é claro. Outras revistas para homens "gastam todo seu tempo ao ar livre – açoitando o matagal espinhoso ou se debatendo em corredeiras"[5]. O playboy é um tipo diferente de animal. Ele é também um caçador, mas o apartamento metropolitano é seu habitat natural. Ele sabe tudo sobre seu apartamento e o ajusta continuamente para melhor capturar sua presa. Na

---

1   Este texto é um excerto de uma extensa pesquisa que foi apresentada na exposição "Arquitetura Playboy" (*Playboy Architecture*), no NAIM/Bureau Europa em Maastricht, na Holanda, entre setembro de 2012 e fevereiro de 2013, com curadoria de Beatriz Colomina. A versão original do texto foi publicada em inglês, em 2012, na revista *Volume*, Archis, n. 33, p. 2-5. O título original deste artigo tem a palavra *playboy* com P maiúsculo, assim como as outras palavras do título, possibilitando sua compreensão tanto como referência ao nome da revista, como ao adjetivo. Na versão traduzida, decidiu-se deixar a letra em minúsculo, operando como um adjetivo que qualifica o tipo de arquitetura sobre a qual a autora vai tratar. [N.T.]

2   Importante destacar que o termo original *apartment* na língua inglesa pode significar tanto a habitação completa com todos os seus cômodos como um conjunto íntimo e privado de cômodos ao redor do quarto, sobretudo quando referido a grandes casas. [N.T.]

3   Termo em francês usado na edição original da revista *Playboy* que indica comidas leves, servidas antes da refeição, comumente acompanhada de bebidas, o chamado aperitivo. [N.T.]

4   HEFNER, Hugh. Editorial. *Playboy*, n. 1, p. 3, dez. 1953.

5   Ibid.

verdade, ele se importa mais com a sedução do que com a captura. É o apartamento em si que é o objeto de desejo final. O playboy e sua revista têm tudo a ver com arquitetura.

Esta filosofia é encarnada na figura do próprio Hefner, que, como é conhecido, quase nunca saía da cama, muito menos de casa. Ele literalmente transferiu seu escritório para sua cama em 1960, quando se mudou para a Mansão Playboy, na North State Parkway, 1340, em Chicago, transformando-a no epicentro de um império global e o pijama e o roupão de seda em seu traje de negócios. "Eu não saio nunca de casa!!! [...] Sou um recluso contemporâneo", ele disse a Tom Wolfe, estimando que a última vez que havia saído fora três meses e meio antes e que nos últimos dois anos só havia saído de casa nove vezes.[6] Fascinado, Wolfe o descreveu como "um verde, tenro e inflado coração de alcachofra".[7] Mesmo quando Hefner saía, ele não estava fora de verdade, mas envolvido em uma sucessão de bolhas, todas destinadas a estender seu interior: os veículos especialmente equipados; o jato Big Bunny,[8] um DC-9 alongado projetado por Ron Dirsmith – o arquiteto da mansão – com uma cozinha gourmet, uma pista de dança, uma sala de estar ou espaço para reuniões, discoteca, um *wet bar*,[9] projetores de cinema de última geração, quartos para dezesseis convidados e a suíte de Hefner, com chuveiro e uma cama elíptica coberta com pele de gambá da Tasmânia; a casa longe de casa dos clubes da Playboy, começando com o clube de Chicago em 1960 e rapidamente crescendo de sete clubes Playboy em 1963 para dezessete em 1965 e, finalmente, 33 pelo mundo. A *Playboy* é produzida num interior radical e é dedicada ao interior, dedicada como uma amante.

A revista estava cheia de interiores desde a primeira edição. Nenhum detalhe do espaço doméstico ficou despercebido, desde a mobília, passando pela iluminação, pelo aparelho de som e pelo

6   WOLFE, Tom. King of the Status Dropouts. In: *The Pump House Gang*. Nova York: Farrar, Straus & Giroux, 1965, p. 63 *et. seq.*

7   Ibid., p. 63.

8   Do inglês, Grande Coelho. [N.T.]

9   Termo que define um bar com pia. [N.T.]

código de vestuário, até o preparo de um bom martíni. A primeira página da primeira edição da revista, oposta à do editorial, mostra um desenho do playboy orgulhoso (como um coelho macho), em casa de pijama e roupão, de pé ao lado de sua mobília moderna, destacando a cadeira Hardoy Butterfly[10] de 1940, que se tornou uma marca distintiva no interior playboy, muitas vezes atuando como uma espécie de casa portátil para a *playmate*.[11] Já na segunda edição, uma matéria especial sobre *playmates* nuas se atém a descrever em detalhes o design, pisos e mobiliário "modernos" da casa californiana em estilo de rancho onde as modelos foram fotografadas. O artigo, sintomaticamente, começa assim: "Alguns dizem que se pode julgar um homem pela maneira como ele decora seu lar", o que irá se tornar uma espécie de mantra na revista.[12] Design é a chave para o estilo de vida playboy. Frank Lloyd Wright e Wallace Harrison são elogiados na quarta edição da revista por trazerem um design moderno para a casa e o arranha-céu. "A simplicidade excitante da arquitetura moderna" estimula a *Playboy*.

O papel do design para a *Playboy* se torna ainda mais claro quando a edição seguinte fornece um guia dos 25 passos para uma conquista bem-sucedida. A sequência é mapeada em um apartamento moderno, como se o layout e o equipamento coreografassem a dança da sedução. À medida que o playboy manobra sua presa em direção à cama, cada detalhe do apartamento ajuda o movimento. Não por acaso a jornada começa com as curvas leves da cadeira borboleta e as dobras profundas e sensuais da cadeira Womb,[13] de Eero Saarinem, desenhada em 1946, outra cadeira característica da *Playboy*. É como se os designers estivessem no cômodo, ajudando. O apartamento Playboy é um coquetel de design moderno, martínis e música. Longe de simplesmente oferecer um

---

10   Cadeira desenhada em 1938 por Antonio Bonet, Juan Kurchan e Jorge Ferrari-Hardoy. [N.T.]

11   Expressão utilizada para descrever uma mulher que posou nua para a revista *Playboy*. [N.T.]

12   At Home with Dienes, *Playboy*, n. 2, jan. 1954.

13   *Womb*, em inglês, significa útero. [N.T.]

arranjo de imagens sedutoras, a *Playboy* analisa a arquitetura da sedução. Ela oferece ao leitor uma espécie de manual do usuário. E, ao final, o playboy sofisticado precisa saber mais sobre design moderno do que sobre mulheres.

Tudo é visto sob a óptica do design. Mesmo uma paródia da psicanálise traz um desenho detalhado do divã e uma planta do cômodo. Da mesma forma, o movimento da mobília é dividido, como são os movimentos precisos da produção de um martíni. A *Playboy* disseca incansavelmente cada dimensão do interior.

Essa dedicação ao interior aperfeiçoado culmina em setembro de 1956 com a Penthouse Playboy[14] – o primeiro apartamento projetado da *Playboy* –, ilustrada prodigamente em uma matéria de oito páginas, mais longa do que os artigos especiais normais, e continuada em outras seis páginas na edição seguinte. Rejeitando a convenção na qual "uma porcentagem esmagadora de casas é mobiliada por mulheres",[15] a questão era criar um interior que fosse expressamente masculino, com equipamento que fica, e mulheres que vêm e vão: "Um homem anseia por uma moradia própria. Mais do que um lugar para pendurar o chapéu, um homem sonha com sua propriedade, um lugar que seja exclusivamente seu. A *Playboy* desenhou, planejou e decorou, em todos os detalhes, um apartamento de cobertura para o solteiro urbano."[16]

Representações atmosféricas evocam uma paisagem contínua de entretenimento. Cada espaço que sucede é descrito em detalhes, com todos os itens separadamente identificados, incluindo o designer, o fabricante e o preço: armários Knoll, cadeiras Eames e Saarinen, mesa Noguchi etc. A casa é repleta dos mais recentes eletrônicos e aparelhos de mídia. Uma peça característica é o centro de entretenimento eletrônico, com *hi-fi*,[17] rádio FM, televisão, grava-

---

14   Cobertura Playboy. É válido notar que, assim como nos projetos de Loos e Le Corbusier, os apartamentos, casas e movéis possuem nomes próprios. [N.T.]

15   *Playboy*, p. 65, out. 1956.

16   Ibid., p. 65.

17   Abreviação de *high-fidelity*, do inglês, alta-fidelidade, expressão que define um equipamento sonoro que reproduz som da maneira mais precisa possível. [N.T.]

dor de fita, projetores de slide e filme. O ambiente inteiro pode ser controlado da cama, que é o epicentro desse interior idealizado. O ocupante/operador imaginado é o leitor. Em uma sedução sagaz, a revista descreve o design mais avançado da arquitetura de interiores para "um homem talvez muito parecido com você". O leitor, ou sua fantasia, é o cliente, a quem são oferecidas as chaves do apartamento da primeira página do artigo.

A arquitetura se revelou mais sedutora do que as *playmates*. A matéria sobre a *penthouse* foi a mais popular na história da revista, ultrapassando até mesmo as páginas centrais com nus.[18] A arquitetura tornou-se a *playmate* definitiva, a única autorizada a ficar. A *Playboy* recebeu centenas de cartas que pediam mais informações sobre a casa, perguntando por plantas mais detalhadas e onde comprar os móveis. Em resposta, a revista começou uma série imensamente popular sobre "moradias Playboy", incluindo o Weekend Hideaway (1959), a Playboy Town House (1962), o Playboy Patio Terrace (1963), a Playboy Duplex Penthouse (1970),[19] e assim por diante. Em cada caso, a fantasia é a mesma: o solteiro e seu equipamento são capazes de controlar cada aspecto do ambiente interior para coreografar uma conquista bem-sucedida e o subsequente apagamento de todos os rastros preparando-se para a próxima captura.

A arquitetura playboy finalmente se volta para a cama, que se torna cada vez mais sofisticada, equipada com todo tipo de entretenimento e dispositivos de comunicação, como uma espécie de sala de controle. A revista dedicou uma série de artigos ao desenho da cama perfeita. Mais uma vez, Hefner atuou como modelo em sua famosa cama redonda, apresentada como destaque em "A casa Playboy na cidade", de 1962, originalmente encomendada para ser sua própria casa, depois instalada na Mansão Playboy. Não por acaso, a única peça da Casa na Cidade que foi executada foi a cama. Ela era em si uma casa. Sua estrutura

---

18   EDGREN, Gretchen. *The Playboy Book*. Los Angeles: Taschen, 2005, p. 38.

19   Na sequência: Esconderijo de fim de semana, A casa Playboy na cidade, O terraço--pátio Playboy e a cobertura duplex Playboy. [N.T.]

rotatória e vibradora continha um frigobar, *hi-fi*, telefone, armários para arquivos, bar, microfone, ditafone, câmeras de vídeo, fones de ouvido, televisão, mesa para café da manhã, superfícies de trabalho e controle de toda a iluminação, para o homem que nunca queria sair. A cama era o escritório de Hefner, seu local de trabalho, no qual ele fazia entrevistas, dava telefonemas, escolhia imagens, ajustava diagramações, editava textos, comia, bebia e consultava suas *playmates*. Se a *Playboy* tem tudo a ver com arquitetura, essa arquitetura é uma extensão da cama. O interior playboy é, em última instância, todo cama.

A *Playboy* tornou aceitável para os homens ser mais interessados em arquitetura moderna e design. Os leitores eram encorajados a pensar que podiam ter uma peça do interior idealizado em sua própria vida. Um ciclo de desejo foi construído enquanto a *Playboy* continuava alimentando a fantasia com mais e mais detalhes sobre os objetos. E esses objetos desejados eram feitos pelos mais sofisticados designers da época: Georges Nelson, Harry Bertoia, Charles Eames, Eero Saarinen, Roberto Matta, Archizoom, Jo Colombo, Frank Gehry etc. No fim, a arquitetura playboy acompanhou o mobiliário. O modernismo retangular da metade do século, um tanto genérico, das moradias do playboy abriu caminho para conceitos mais extremos quando a revista começou a se apropriar de casas já existentes como Playboy Pads.[20] A geometria lúdica de casas realizadas, como o New Haven Haven,[21] de Charles Moore (publicada na *Playboy* em 1969), a casa Futuro, de Matti Suuronen (1970), a casa Elrod, de John Lautner (1971), a Bubble House of Chrysalis[22] (1972) e a House of the Century[23] (1973), do coletivo Ant Farm, tornaram-se modelos de sedução por meio do design. Não são mais uma ou duas cadeiras de designer cheias de curvas que escoram as "amáveis" garotas vizinhas no coração da principal fantasia da *Playboy*, mas edifícios e interiores

20   Moradias Playboy. [N.T.]
21   Refúgio New Haven. [N.T.]
22   Casa Bolha de Chrysalis. [N.T.]
23   Casa do Século. [N.T.]

completamente construídos de importantes arquitetos experimentais que são mostrados lotados de mulheres que parecem se tornar mais sofisticadas quando ao lado da arquitetura, como se o design intensificasse e elevasse a fantasia.

Alguns arquitetos destacados, como Frank Lloyd Wright, Mies van der Rohe e Buckminster Fuller, eram o assunto de matérias e entrevistas na revista como personalidades culturais importantes, vestidos com perfeição e sintomaticamente celebrados por sua sofisticação masculina, com insinuações sutis de que eles também são playboys. No primeiro ano, Wright já era louvado como um "homem incomum", que anda em alta velocidade no seu Jaguar, tem uma vida amorosa controversa[24] e projeta edifícios "radicais e excitantes". O arquiteto se torna um modelo, cuidadosamente colocado no coração da fantasia do playboy. É como se os sonhos que o arquiteto tem do futuro se fundissem com o sonho da conquista sexual.

Não por acaso, a revista apresenta as grandes megaestruturas flutuantes da Cidade do Futuro de Fuller, as Cidades Catedrais para uma Nova Sociedade de Paolo Soleri e Habitat de Moshe Safdie, construídas para a Expo 67[25], como fragmentos de uma possível cidade futura. Milhares de unidades de apartamento independentes são empilhadas, formando imensas edificações próprias de ficção científica. O arquiteto está à beira do futuro, visualizando a possível trajetória do design. O playboy nunca sai, mas sonha em voar para o futuro na sua cápsula doméstica selada. O interior do playboy finalmente engole tudo, até mesmo seu próprio futuro.

No final, esse mundo continuamente expandido do design é ele próprio uma fantasia sexual, um espaço para o qual o leitor é

---

24   Diversos documentários, artigos de jornal e biografias sobre o arquiteto ressaltam suas relações amorosas, dentre elas, o caso com a esposa de um de seus clientes, Mamah Borthwick Cheney, para quem, juntamente com seu marido, Edwin, Frank Lloyd Wright havia projetado a casa Taliesin. Lloyd Wright abandonou sua mulher e filhos por anos, após seguir sua vida com Cheney, iniciando-a com um ano na Europa. Após retornarem, os dois ocuparam a casa Taliesin juntos. [N.T.]

25   Evento nos moldes Exposição Universal, consagrado desde o século XIX como espaço fundamental para difusão de produtos e costumes, realizado na cidade de Montreal, Canadá, entre agosto e outubro de 1967. [N.T.]

habilidosamente seduzido. Quanto mais detalhada a descrição, mais intensamente o leitor deseja entrar. Assinar a *Playboy* é obter um molho de chaves para um mundo onírico, um interior mágico. Com circulação global massiva e a sexualização da arquitetura, a *Playboy* indiscutivelmente teve mais influência na disseminação do design moderno que revistas profissionais, revistas de interiores e até mesmo que instituições como o MoMA (Museu de Arte Moderna de Nova York). O design não era simplesmente destacado na revista, era seu próprio mecanismo. E, claro, os designers também eram leitores. Se a *Playboy* não podia existir sem a arquitetura, parece que a cultura arquitetônica também não poderia passar sem a *Playboy*. A revista afetou profundamente a imaginação de críticos e arquitetos. O slogan de Reyner Banham em 1960, "Eu rastejaria uma milha por uma *Playboy*", capta o sentimento de toda uma geração. Quase todo arquiteto homem lia a *Playboy* e ela se insinuava nas fantasias da área de maneiras que precisam ser exploradas, analisadas e criticadas.

INTERIORIDADE RADICAL

1. Hugh Hefner trabalhando, Chicago, 1966.

Observar, descrever, questionar: entrevista com Beatriz Colomina

Gilberto Mariotti, Ligia Zilbersztejn,

Marian Rosa van Bodegraven e

Marianna Boghosian Al Assal

No dia seguinte ao evento de abertura da XII Bienal de Arquitetura de São Paulo,[1] no qual pronunciou a palestra "Arquiteturas do cotidiano", Beatriz Colomina concedeu, na Escola da Cidade, esta entrevista, da qual participaram (além dos entrevistadores acima mencionados) professoras, alunas da Escola da Cidade e a equipe da Editora da Cidade e do Baú (registro audiovisual).[2]

A primeira questão que gostaríamos de discutir se refere aos três textos que estamos traduzindo: *The Split Wall: Domestic Voyeurism*, *The Century of the Bed* e *Radical Interiority: Playboy Architecture 1953-1979*.[3] Ao olharmos para estes textos e levarmos em conta sua fala de ontem, parece ser possível ver a evolução de um tema central: as relações público-privadas numa escala reduzida – a casa, a mobília, – em especial a cama, claro, que mostra por um lado um processo de pesquisa no decorrer do tempo, seu caminho como pesquisadora, mas por outro lado evidencia as transformações ocorridas ao longo do século XX e as mudanças para o século XXI. Por exemplo, como que os meios de comunicação em massa interferem na remodelação dessas relações? Como você optou por esses temas e como vê a articulação entre os textos?

Beatriz Colomina: O primeiro texto se relaciona com o que começou como uma dissertação sobre Adolf Loos e Le Corbusier e a questão da mídia (tema que também surgiu durante a conversa de ontem). Após discutir o que as mídias sociais estavam fazendo pela arquitetura, antecipei a questão que muitas pessoas poderiam ter, de que as mídias sociais não têm nada a ver com arquitetura. Não só têm a ver, como é

---

1   Evento organizado em 13 de setembro de 2019, pelo Instituto dos Arquitetos do Brasil – SP. Agradecemos à diretoria do IAB-SP e aos curadores do evento que possibilitaram a vinda da pesquisadora ao Brasil e, indiretamente, a realização desta entrevista.

2   Docentes: Gilberto Mariotti, Marianna Boghosian Al Assal e Maira Rios. Então representantes da Editora da Cidade: Gabriella Gonçalles e Marina Rago. Ex-alunas: Ligia Zilbersztejn e Marian Rosa van Bodegraven. Baú da Escola da Cidade: Clarissa Mohany, Giovanna Tak e Fernanda Tavares.

3   Publicados neste volume, respectivamente, sob os títulos: *A parede cindida: voyeurismo doméstico*, *O século da cama* e *Interioridade radical: arquitetura playboy 1953-1979*.

uma história antiga. No começo do século XX, com a chegada de novas mídias naquela época, como a fotografia, o filme, as revistas de arquitetura ilustradas etc., também houve a reação, por parte de alguns profissionais, de que essas mídias estariam destruindo a arquitetura como a conhecemos. Então, as acusações de Adolf Loos a Joseph Hoffmann, por exemplo – "você está produzindo uma arquitetura para que essa saia bem na foto: isso não é uma boa arquitetura" – são a defesa do objeto. Naquela época, comecei a me debruçar sobre Le Corbusier e sua revista, *L'Esprit Nouveau*.[4] Era o entendimento da inserção da arquitetura na mídia num sentido mais tradicional, de profissionais da arquitetura trabalhando em revistas, publicações, livros, até mesmo filmes, este é o início da minha dissertação. Mas para mim o ponto decisivo, e eu acho que o que faz o livro *Privacy and Publicity*[5] importante, não é aquele momento, mas quando me dei conta de que este engajamento com as mídias, com a publicidade, tinha consequências no espaço da arquitetura, nas relações entre público e privado, interior-exterior etc. E isso ocorre nos últimos capítulos do livro assim como na dissertação quando falo sobre as janelas de Le Corbusier e os interiores de Adolf Loos.

Loos foi um arquiteto ainda muito conservador em relação à ideia de que as mídias estão, de alguma maneira, introduzindo-se na arquitetura. E, ao mesmo tempo, ele é uma figura midiática. Ele vê o interior como um teatro. Esta tensão que pode ser sentida nas fotografias quando não há ninguém, mas sentimos que alguém pode entrar a qualquer momento. A mobília tem esta capacidade.[6] Com Le Corbusier é quase o oposto, ele enxerga a casa como um mecanismo fílmico. Logo, a casa é uma maneira de dirigir o visitante

4   Revista fundada por Le Corbusier, Paul Dermée e Amédée Ozenfant, publicada entre 1920 e 1925.

5   COLOMINA, Beatriz. *Privacy and Publicity: Modern Architecture as Mass Media*. Cambridge: MIT Press, 1994.

6   Em *A parede cindida* a autora afirma que as mobílias eram incumbidas de criar essa atmosfera: "Olhando as fotografias, é fácil imaginar-se nessas posições estáticas e precisas, geralmente indicadas pelos móveis desocupados. Essas fotografias sugerem a intenção de que esses espaços sejam entendidos pela ocupação, pelo uso desse mobiliário, 'entrando' na fotografia, habitando-a." Ver a tradução completa do texto nesta edição.(p. 23)

OBSERVAR, DESCREVER, QUESTIONAR

como se estivesse experienciando a casa como um filme.[7] Ele fala sobre isso nestes termos, sobre a *promenade architectural*[8] como dispositivo cinemático. A janela horizontal e a questão do enquadramento foram problemáticas naquela época, todos o criticavam. Auguste Perret, que havia sido seu professor e para quem ele havia trabalhado, o acusou nas páginas de um jornal bastante importante, dizendo que a arquitetura de Le Corbusier não era nem arquitetura. Ele encerra sua crítica focando na janela horizontal porque a janela vertical é um homem, é isso que diz Perret – um homem, não uma mulher, não? – que, estando em pé, detém a janela e tem uma vista perspectivada do exterior. Evidentemente a janela horizontal não implica uma pessoa, um homem, dentre todas as coisas, em pé ali no meio segurando a janela – como diz Perret – mas sim uma ideia fílmica. Então começamos a imaginar a arquitetura como um aparato cinemático – e ele próprio pensava nestes termos – por exemplo, a pequena casa para sua mãe e o Lago Léman com um barco passando, o lago e os diferentes momentos vistos através da janela horizontal que percorre a casa longitudinalmente, logo não há um momento único, como na *porte-fenêtre*,[9] defendida por Perret – mas um movimento contínuo, uma tira de negativo, como em um filme, e Le Corbusier era bastante consciente disso. Isso me levou à questão de que as mídias não eram apenas um meio no qual profissionais da arquitetura estavam publicando seus trabalhos. As mídias estavam, pelo contrário, transformando a arquitetura em si – e particularmente a

---

7   No texto *A parede cindida*, fica nítida a diferença entre as casas de Adolf Loos e Le Corbusier quando diz que: "Diferentemente das casas de Adolf Loos, a percepção aqui ocorre em movimento. É difícil pensar em alguém em posições estáticas. Se as fotografias dos interiores de Loos dão a impressão de que alguém está prestes a entrar no cômodo, nas de Le Corbusier parece que alguém estava ali havia pouco, deixando como rastro um casaco e um chapéu sobre a mesa na entrada da Vila Savoye, um pão e uma jarra na mesa da cozinha, ou um peixe cru na cozinha de Garches". Ver a tradução completa do texto, com as fotografias que compõem a construção dessas imagens, nesta edição.(p. 49)

8   Expressão usada por Le Corbusier para descrever a circulação ou passeio pelo espaço arquitetônico e as diversas perspectivas que surgem de tal ato.

9   Do francês, porta-janela. Expressão utilizada para descrever a janela vertical.

relação entre interior e exterior, público e privado. E, obviamente, isso é fundamental para entender a arquitetura moderna. No primeiro momento da minha dissertação, tive de discutir na Universidade de Columbia, uma ótima universidade, mas ainda com pessoas conservadoras naquela época. Ficavam incomodados com o fato de eu falar sobre as mídias e diziam que Le Corbusier não tinha nada a ver com isso. Eu dizia: "Mas eu estive nos arquivos e posso dizer que ele é obcecado pelas mídias, que estava constantemente pedindo catálogos às companhias". Era o início da propaganda moderna, então, temos estes lindos catálogos empresas de carros, aviões, até mesmo de peças industriais. E ele estava constantemente escrevendo a essas indústrias para receber os catálogos, que continham esses objetos fantásticos fotografados, o que era uma novidade. Fazia recortes de jornal – mesmo durante a guerra – de aviões, e vemos estas imagens depois nos seus livros, em *Por uma arquitetura*.[10] Eu não entendo como todos estes historiadores que foram à Fundação Le Corbusier antes de mim não viram isso. Pois sabemos que Gropius escrevia a Le Corbusier e ele não se preocupava em responder. Theo van Doesburg escrevia, até mesmo enviando desenhos e fotografias. Achava que *L'Esprit Nouveau* era uma revista na qual poderia ser publicado – podemos ver nas cartas, vai ficando exponencialmente irritado: "Você não responde às minhas cartas, eu lhe envio todo esse material, vejo que você não tem nenhuma intenção de me publicar na sua revista. Se não o fará, poderia pelo menos ter a cortesia de devolver meu material". Nenhuma resposta.

E, enquanto isso, Le Corbusier escreve centenas de cartas para companhias como Voisin, para conseguir os catálogos dos modelos dos carros mais recentes, para a companhia Delage etc. Trabalha intensamente para conseguir catálogos e publicidade, mas não se importa com nenhuma das figuras da vanguarda que nós pensamos serem importantes para ele. Ele não dá a mínima, tão fascinado estava com a nova publicidade.

Levou bastante tempo, mas é claro que agora já é aceito que a arquitetura moderna tem muito a ver com as mídias, design de

---

10   LE CORBUSIER, *Por uma arquitetura*. São Paulo: Perspectiva, 2011.

objeto, design gráfico e publicidade. Mas, para mim, o ponto mais importante do trabalho é o momento no qual eu vi a implicação que isso tinha na própria arquitetura. Porque sou treinada como uma arquiteta – sou uma historiadora, mas treinada como uma arquiteta. Foi o momento mais revelador.

Quanto à *Playboy*, era tema de um curso que eu estava ensinando na Universidade de Princeton. Não sei se vocês conhecem este outro projeto que fiz com meus estudantes de PhD, chamado *Clip, Stamp, Fold*,[11] que foi sobre as revistas radicais dos anos 1960 e 1970 – e a exposição, que também veio para a América Latina, esteve em Bogotá, Santiago, Londres, na Documenta (Kassel), Oslo, Barcelona e muitas cidades ao redor do mundo. Depois disso, entrevistei todos esses profissionais da arquitetura dos anos 1960 e 1970, alguns deles ainda vivos, mas que foram figuras vanguardistas naquela época. Eu os convidava a Princeton para dar palestras, como Ant Farm, por exemplo, ou Hans Hollein etc. E eu ficava lendo os CVs – *Casabella, Domus*,[12] todas essas revistas de arquitetura e design, e a *Playboy*. Eu me perguntava: "Por que eles estavam sendo publicados na revista *Playboy*?" E eles diziam: "a *Playboy* foi muito importante para todos nós", e "todos líamos a *Playboy*", "a *Playboy* estava interessada na gente". Eu pensei: "Isso é fascinante, como isso aconteceu?" Comecei a olhar algumas edições e disse: "Mas está cheia de arquitetura, como ninguém nunca olhou essas revistas?!" Então propus o tema aos estudantes. Foi interessante porque as bibliotecárias sempre me perguntavam no verão: "Se você precisar de quaisquer livros específicos para o seu próximo seminário..." E eu disse: "Compre toda a tiragem da *Playboy*, desde a fundação, em 1953, acho eu, a 1979" – que correspondia ao período que eu queria investigar. Quando voltei às aulas, no final de agosto, perguntei: "Você comprou as *Playboys*?" e ela respondeu: "Não, pensei que estivesse brincando!" (risos). Depois ela finalmente conseguiu, por meio de uma editora antiga

---

11   COLOMINA, Beatriz (org.). *Clip, Stamp, Fold: The Radical Architecture of Little Magazines*, 196X to 197X. Nova York: Actar Publishers, 2010.

12   Revistas de arquitetura e design italianas fundadas por Guido Marangoni e Gio Ponti, respectivamente.

ou uma livraria, caixas grandes com todas essas *Playboys* dos anos 1950, 1960, 1970 – e ficou preocupada sobre ter de guardá-las na biblioteca. "Por que você está nervosa?", perguntei, e ela disse: "E os calouros? São menores de idade". Então eu disse: "Sabe, você já ouviu falar da internet? Porque isso é bem entediante comparado com o que podem encontrar lá". E ela me sugeriu: "Acho melhor você guardá-las na sala do doutorado". Claro que, agora, as revistas estão na seção de livros raros da biblioteca e temos de usar luvas para manuseá-las. Temos uma relação completamente diferente com isso. Assim, propus aos estudantes: "Não sei de muita coisa, mas sei que tem muita arquitetura aí e o que vamos fazer é nos colocar a tarefa de olhar uma por uma, página por página, e prestar atenção não apenas aos artigos sobre arquitetura, mas também aos anúncios, sobre o que estão recomendando comprar etc". E foi interessante porque percebemos que Hugh Hefner[13] estava interessado em arquitetura moderna desde o princípio. E isso na época em que revistas como *House Beautiful* e *House and Garden*[14] eram muito conservadoras, totalmente avessas à "invasão" desses estrangeiros. Em um artigo famoso na *House Beautiful* chamado *The Threat To The Next America*,[15] o que chamavam de "ameaça" eram esses alemães, como Mies van der Rohe – eles falam sobre Mies como se fosse um comunista, quando na verdade é o oposto – que estão vindo para a América e destruindo nosso estilo de vida, impondo essa arquitetura de vidro e esse blablablá, coisas horríveis. Ao mesmo tempo, no mesmo ano em que esse artigo foi publicado, a *Playboy*, quando publica arquitetura, quer destacar os arquitetos próximos a Chicago – inicialmente interessando-se em Frank Lloyd Wright e Mies van der Rohe: o primeiro artigo é sobre eles. Então, se voltam para os designers dos anos 1950, como os Eames, Eero Saarinen etc. E há diversos artigos sobre o fenômeno do design moderno nos Estados

---

13   Empresário estadunidense, fundador e editor-chefe da revista *Playboy*.

14   Revistas estadunidenses de design de interiores, artes domésticas e jardinagem.

15   *A ameaça à próxima América*, artigo escrito pela editora Elizabeth Gordon em abril de 1953.

Unidos. De várias maneiras, a revista teve grande impacto na aceitação da arquitetura moderna pelo público americano.

E qual o papel da *Playboy* neste processo?

BC: A *Playboy* teve um impacto enorme porque naquele momento estava no auge de sua produção: sete milhões de cópias que circulam de mão em mão, por causa das garotas no meio e tudo isso, mas com milhões de leitores também.

Apesar de existir esse tema central, que geralmente é uma mulher (e ser bem entediante), na verdade a revista é bem progressista, sabe? As primeiras entrevistas são com Martin Luther King, Malcom X, Fidel Castro... E é surpreendente a qualidade da literatura publicada, extremamente interessante, como *Fahrenheit 451*,[16] primeiramente apresentado na revista como um pequeno artigo, antes que o livro fosse publicado. Todos os escritores principais eram publicados na *Playboy*, e todos os patronos da literatura sabiam disso havia muito tempo. Umberto Eco escreveu sobre a *Playboy*, muitas pessoas da música, da literatura também. E na arquitetura, como sempre: "Nós não pensamos sobre isso, não vemos isso". Ninguém escreveu sobre *Playboy* e arquitetura.

Foi então que montamos uma linda exposição sobre arquitetura e a revista *Playboy*, que esteve no NAI Maastricht[17] e também em Rotterdam, no Instituto dos Arquitetos (NAI Rotterdam)[18] e então foi para o Museu de Arquitetura em Frankfurt, o DAM – e lá todas as maiores revistas e jornais da Alemanha, como o *Frankfurter Allgemeine*, publicaram na primeira página da seção de arte – eu achei incrível.

Mas em relação ao meu próprio artigo *Interioridade radical: arquitetura Playboy 1953-1979*, que teve um processo similar ao *Privacy and Publicity*, primeiro estive interessada em quanto de arquitetura moderna existia na *Playboy*. Mies, Frank Lloyd Wright

16   Livro de Ray Bradbury publicado em 1953.
17   Atualmente conhecido por Bureau Europa.
18   Atualmente conhecido por Het Nieuwe Instituut.

e toda a geração dos anos 1950, e os radicais: Archizoom, Superstudio, Ant Farm. Ok, mas o que eles recomendam que as pessoas comprem? "É Natal, compre a cadeira (Eero) Saarinen ou compre a (George) Nelson ou o relógio Nelson." Neste sentido, entre os produtos que eles recomendam aos seus leitores já têm muita arquitetura e design. Até o ponto em que, na última revista que olhamos, perto de 1980, estavam recomendando às pessoas que comprassem a cadeira de Frank Gehry, que custava 37 dólares na Bloomingdale's[19] – 37 dólares! Hoje você poderia ser uma milionária se tivesse essa cadeira! Quero dizer, então, que os leitores da *Playboy* estavam bem de vida porque estavam comprando o que estavam recomendando, formando essa coleção maravilhosa. Certa vez dei uma palestra em Cornell e ao final uma mulher veio até mim e disse: "Bom, agora eu entendo essa coleção de móveis que o meu pai tem e sempre me perguntei por que toda essa mobília de designers famosos e tudo isso... Ele não fez faculdade, nunca foi a um museu, não entende muito sobre arte, mas você vai à casa dele e encontra essa coleção incrível". Depois me escreveu contando: "Finalmente perguntei: 'Como você tem essas coisas? E ele respondeu: 'A *Playboy* me disse para comprá-las'".

Mas o jogo virou quando percebi que houve uma transformação na ideia de interioridade. A *Playboy* tornou respeitável que homens se interessassem por arquitetura de interior e design, o que é crucial, pois antes disso havia uma ideia de "você é gay?" ou algo assim. Apenas as mulheres se interessavam por design e decoração. Mas a *Playboy* demonstrou que um homem sofisticado também poderia se interessar por arquitetura e design. A ideia de interioridade[20] mudou, certo? A parte central do meu artigo acaba

---

19   Loja de departamentos estadunidense.

20   Tanto Beatriz Colomina como outros pesquisadores que escreveram sobre arquitetura playboy, a exemplo de Paul B. Preciado, colaboraram para essa expansão dos significados de interioridade. Importante destacar que a palavra em português é comumente mais usada em seu aspecto psicológico, mas optou-se ao longo dos textos presentes neste volume por mantê-la, articulando-a com as questões espaciais e arquitetônicas, como o sentido em inglês oferece.

OBSERVAR, DESCREVER, QUESTIONAR

sendo a cama de Hugh Hefner. Embora naquela época eu ainda não houvesse falado sobre a cama na era das mídias sociais, claro, mas essa ideia de que ele transfere o escritório para a sua casa, e então para a cama, e faz todo o trabalho da cama, foi muito importante.

A cama de que eu falava ontem (na palestra) é exatamente a cama 24/7. Agora, a cama de Hugh Hefner se tornou a cama de todo mundo. Eu sei que se trabalha muito da cama, especialmente a geração mais jovem. Na chamada economia *gig*,[21] existem menos e menos pessoas trabalhando num cronograma das 9h às 17h, indo a um escritório ou uma fábrica. E mais e mais pessoas na chamada economia *gig* que trabalham horas extras. Ninguém sabe bem em que horário: talvez trabalhem no meio da noite, pois têm um contrato com a China, fazendo zoom na cama. E então a cama se tornou um espaço público, um espaço que uniu público e privado. Na verdade, você está sendo exposto. Talvez te olhem pela câmera, algumas pessoas até colocam um post-it. Mesmo quando pensa que não está trabalhando, porque está relaxando com seu laptop, pesquisando suas férias em alguma ilha ou algo assim, você está trabalhando. Você está gerando dados que serão então monetizados por todas essas novas economias. Então, mesmo quando pensa que não, você está sempre trabalhando. Alguém está rastreando seus movimentos e sua localização. Mesmo quando você está no que é supostamente o espaço mais privado – a cama –, talvez esteja, simultaneamente, no espaço mais público de agora. Sem falar nos milhões de pessoas que se entretêm com relações sexuais com pessoas que estão a milhas de distância de onde elas estão e talvez nunca se encontrem. Então sexo na era das mídias sociais é uma história completamente diferente. E o que era tradicionalmente público e privado já está totalmente defasado, não?

Você me faz pensar no fato de que todos esses artigos têm, na verdade. a mesma ideia. Como no *Wall Street Journal*. em que

---

21   Do inglês *gig economy*, é a expressão utilizada para falar de uma nova tendência da economia mundial baseada no trabalho freelancer, em que trabalhadores prestam serviços remotos e pontuais, sem vínculo empregatício com empresas.

li que 80% dos jovens em Nova York trabalham na cama, e ao mesmo tempo, em outra seção do jornal, podemos encontrar artigos sobre prédios corporativos que estão se esvaziando porque as pessoas não trabalham mais tanto em escritórios. Então pensamos: "Vivemos em cidades que estão obsoletas. Por que nós como profissionais da arquitetura não estamos pensando sobre isso? Por que continuamos pensando sobre nós, o escritório que trabalhamos, por que nos deslocamos para o trabalho quando milhões de pessoas não o fazem mais?" E seremos mais e mais assim, entre outras coisas, porque é impossível. Não podemos sustentar esse nível de trânsito, digo, São Paulo também é um desastre em termos de transporte, não? Mas a economia também está mudando e estamos cada vez mais migrando para uma situação – da qual eu falava ontem – na qual o que costumamos chamar de trabalho humano talvez esteja chegando ao fim, não?

É claro que a educação continuará – não se preocupe com isso (risos) –, estamos entre as indústrias que, pelo contrário, continuarão a crescer ao invés de desaparecer. Mas muitas outras pessoas estão perdendo seus empregos, ou já os perderam. E existem muitos experimentos acontecendo ao redor do mundo nos quais pessoas recebem dinheiro e observam o que farão com ele, já que não precisam trabalhar. Na Califórnia, selecionaram uma comunidade inteira e deram a todos – todos mesmo, não importa – dois mil dólares por mês, para descobrir o que fariam se não precisassem trabalhar. Porque não sabemos, certo? Digo, existem muitas fantasias de que dedicaríamos mais tempo ao lazer e de que educação seria mais importante. A renda básica universal é outra ideia. Foi votada na Suíça dois anos atrás e seria a redistribuição de riqueza na forma de uma renda mínima universal.[22] Apesar de ter sido rejeitada, o simples fato de que foi algo que foi votado é o suficiente para nos fazer pensar "o que está acontecendo?". É claro, você pode ter ouvido falar desses experimentos na Finlândia, ou na Holanda,

---

22   A origem do conceito de renda mínima universal é frequentemente atribuída ao livro *Utopia*, do escritor Thomas More, publicado em 1516.

e em muitas partes do mundo economistas se preocupam com isso. Por que nós, como profissionais da arquitetura, não estamos pensando de que modo as cidades irão mudar? Não iremos mais ao trabalho. Ou pelo menos um número significativo de pessoas. Particularmente, não iremos a lugar nenhum, não precisaremos estar em um lugar específico para trabalhar. Poderemos trabalhar da cama, de outro país, outro continente, como tem acontecido atualmente, não? Resposta longa. Você tem outra pergunta? (risos)

Algumas transformações por que você passou neste texto marcaram o século XX e a passagem para o XXI. Parece que os Estados Unidos, ou o *American way of life*[23] em especial, têm um papel importante nisso. Sendo uma pesquisadora que consolidou sua carreira nos EUA, como foi ocupar esse lugar de estrangeira e olhar para essas transformações do lado de dentro? O estranhamento teve um papel significativo neste ponto de vista?

BC: Bom, primeiramente, todas as primeiras pesquisas são europeias, certo? São sobre Loos e Le Corbusier. Mesmo estando nos EUA, a pesquisa foi feita na Fundação Le Corbusier, em Paris, e na Albertina, em Viena, nos arquivos de Loos, então é uma pesquisa europeia. E o fenômeno para o qual eu estava olhando, em sua maior parte, é majoritariamente europeu. A transformação da casa, do espaço doméstico, na virada do século com a chegada das mídias de massa. Não é muito diferente, tenho certeza, se olharmos para o que estava acontecendo no Brasil. Mas nos EUA era diferente, porque lá não aceitavam a arquitetura moderna. Não podemos ver muita arquitetura moderna antes da Segunda Guerra Mundial, existe uma espécie de ansiedade pela modernidade lá. Na primeira parte da pesquisa, eu não estava muito interessada na arquitetura dos Estados Unidos, mas isso mudou

---

23 "Estilo de vida americano", expressão que surgiu no século XVIII, com a constituição estadunidense, para descrever os princípios do nacionalismo no país – vida, liberdade e a busca pela felicidade.

na segunda parte do projeto, que é *Domesticity at War*.[24] Já no *Privacy and Publicity*, a guerra já teve papel importante, mesmo que não anunciada. Percebi que devemos chamar [de moderno] tudo o que tem a ver com o impacto da Primeira Guerra Mundial em Le Corbusier e na arquitetura daquela geração. Como a própria guerra alterou o entendimento de espaço? O que é público e o que é privado? E, é claro, entender a chegada de um mundo mais globalizado por meio do transporte. A extensão das linhas aéreas, nos anos 1920, imediatamente após a guerra. Quer dizer, temos um mundo muito mais conectado. Le Corbusier veio à Argentina e ao Brasil no final dos anos 1920, o que é bastante significativo. Mas o impacto que Le Corbusier teve nesse país, por exemplo, não existiu nos Estados Unidos até muito depois. Eles nunca tiveram muita consideração por ele lá. Por exemplo, só existe um prédio, que é o Carpenter Center, que eu acredito ser dos anos 1960.[25] Então, aqui [na América do Sul] a importância da arquitetura moderna é maior.

O impacto da Primeira Guerra Mundial na arquitetura moderna me fez pensar sobre o impacto da Segunda Guerra na arquitetura moderna, na qual, ao contrário da primeira, a arquitetura teve envolvimento direto. Se fossem jovens e aptos, eram mandados ao front. Muitos profissionais da arquitetura e historiadores da arte estiveram no front, não só na Europa, mas no mundo todo. Muitos outros trabalharam construindo bases militares na Califórnia, onde estava toda a indústria da guerra etc. E tinham suporte dos militares para desenvolver novas técnicas e materiais. Profissionais da arquitetura ou design, como os Eames,[26] apareciam com novos materiais que se tornaram fundamentais na segunda metade do século XX. A cadeira de madeira compensada dos Eames surgiu de seu desenho da tala de

24 COLOMINA, Beatriz. *Domesticity at War*. Cambridge: MIT Press, 2006.

25 O edifício, situado no campus da Universidade de Harvard em Cambridge, Massachusetts (EUA), foi concluído em 1963.

26 Charles e Ray Eames, casal estadunidense que atuou nos campos da arquitetura e do design ao longo do século XX.

madeira compensada. Eles tinham um contrato com os militares e a desenvolveram durante a guerra para curar as pernas dos soldados feridos, que antes usavam uma prótese de metal, o que causava muitos casos de gangrena e morte. Ao fim da guerra, os Eames acabaram com uma grande medalha, como grandes heróis, por todas as vidas que salvaram. Essa é, provavelmente, a coisa mais importante que eles fizeram. O que temos, então, no fim da guerra? Temos as fábricas que já experimentaram com a torção da madeira compensada e temos a *potato chip chair*.[27] Conhecemos a cadeira de compensado, os armários de compensado. Então essa indústria militar se tornou uma indústria doméstica.

Assim eu diria que esse momento de virada no qual me tornei mais interessada nos EUA aconteceu só na segunda parte da minha carreira, começando com *Domesticy at War*, com *Cold War Hothouses*[28] etc. Em *Clip, Stamp, Fold*, estava de novo no mundo todo, nas revistas aqui, no Chile, na Ásia, no Japão, na Europa, e claro, nos EUA, como parte de um mundo globalizado.

Então na *Playboy* há esse caráter cosmopolita? Internacionalista?

BC: A *Playboy* é definitivamente uma revista americana, e isso foi importante para olhar a maneira pela qual a arquitetura moderna foi aceita e como isso pode ter tido a ver com a popularidade da revista. Novamente temos essa questão do sofisticado *versus* o ordinário, e o olhar da revista popular sobre a difusão da arquitetura. E, sim, Hefner e a *Playboy* são americanos, mas nós também olhamos muitas outras edições internacionais da revista – na França, no Brasil, por exemplo. Na verdade, íamos fazer uma exposição aqui e alguém estava olhando as casas apresentadas na edição

---

27 "Cadeira Batata Chips", apelido dado à cadeira DCM – *Dining Chair Metal* (cadeira de jantar metálica) de Ray e Charles Eames, em referência ao formato oval levemente curvado do assento e do encosto.

28 COLOMINA, Beatriz; BRENNAN, Annemarie; KIM, Jeannie (eds.). *Cold War Hothouses: Inventing Postwar Culture*, from Cockpit to Playboy. 1. ed. Nova York: Princeton Architectural Press, 2012.

brasileira, que são completamente diferentes das casas dos Estados Unidos. Assim também temos muitos arquitetos modernos brasileiros na *Playboy*, porque esse moderno era considerado *sexy*. E claro que havia edições na Itália e em outras partes do mundo. Então, sim, é americana, mas não se restringe aos Estados Unidos. A cama, como espaço de trabalho, não é um fenômeno americano isolado. Claro que Hefner, Capote[29] e todos esses caras são americanos, mas não se trata apenas da cama como local de trabalho, que já existia na Europa havia muito tempo. Quero dizer, muitos escritores escreviam sempre na cama. Proust escrevia na cama. Matisse pintava e desenhava na cama. Mas eram apenas artistas e intelectuais que o faziam. Agora é como se todos fossem artistas ou intelectuais. Somos todos tão criativos agora e pensamos sobre nós mesmos nesses modelos porque somos mais livres, mas também mais precários em nossa relação com trabalho. É difícil estar na economia *gig.* Conheço essa geração, sei que muitos não terão um trabalho das 9h-17h. Nunca terão muita segurança. Estão sempre fazendo um trabalho aqui, outro lá. E a cama é muito importante. Ao redor do mundo isso se torna mais e mais comum. Cada vez mais situações de trabalho precárias.

E, sabe, algo vai acontecer. Porque no começo da industrialização as pessoas trabalhavam horas a fio, em condições extremas, até que surgiram as revoluções, certo? Quando as pessoas e os trabalhadores pressionaram, acabamos conseguindo a jornada de oito horas, os intervalos e os finais de semana, tudo graças às lutas sociais. Eu acho que algo tem de acontecer com a economia *gig* porque não é justo com essa sua geração, essa insegurança, todas essas pessoas trabalhando em situações precárias nas quais estão sendo exploradas. E estão sendo exploradas porque ainda não entendemos, porque ainda não houve uma reação de como isso vai funcionar. Não podemos ter um batalhão de pessoas sem seguro de saúde, como os Estados Unidos, que nem se preocupam em garantir isso ou qualquer tipo de proteção – é perigoso, não? Algo terá de acontecer, como aconteceu com a chegada da industrialização e o

---

29   Truman Capote, escritor e roteirista estadunidense.

trabalho nas fábricas: primeiramente era muito "dickensiano" e aos poucos fizemos progresso para algo um pouco mais justo, com as uniões de trabalhadores etc. Eu acredito que algo tem de acontecer.

Tendo em mente textos como *A parede cindida*, no qual a análise do espaço se desdobra de uma concepção de narrativa, tal como a história de detetive, você concebe a teoria como uma outra forma de construção espacial e, portanto, a escrita como uma percepção espacial ela mesma? E indo mais longe neste sentido, além de ter como referência alguns conceitos de teoria psicanalítica, você também utiliza a psicanálise metodologicamente em sua escrita?

BC: Sim, histórias de detetive sempre foram importantes para mim. Acho que esse é mais o caso em *A parede cindida*, e talvez mais ainda no que eu digo sobre Eileen Gray,[30] que realmente é uma história de detetive que começa com a questão "Como isso é possível?", e como vai seguindo o fio, com todas as cartas de Le Corbusier ao prefeito, e toda essa novela. E acho que você está certo, isso cria um espaço narrativo que eu considero ser muito importante para mim.

Neste sentido, minha escrita não é muito acadêmica. Escrevo mais no estilo de uma escrita criativa, no sentido que preciso *entrar* no texto. É um pesadelo ficar perto de mim quando estou escrevendo algo, porque preciso entrar no clima. Tem de acontecer de um determinado jeito e, de repente, quando você se conecta em um momento, aparecem várias lacunas, mas é um grande esforço. Eu coloco muito empenho na escrita.

E certamente não acontece como muitas pessoas pensam: "Ah, você escreve tão naturalmente". Não é naturalmente. Eu trabalho duro porque conto com cada frase. E isso fica evidente, acho, na dissertação. No primeiro livro me preocupo em como se entra no espaço narrativo, me importo em como se move nesse espaço. E,

---

30   COLOMINA, Beatriz. Battle Lines: E.1027. *Center – a journal for architecture in America*, n. 9, p. 22-31, 1995. Nesse artigo, Colomina descreve um polêmico episódio em que Le Corbusier pinta murais na casa da arquiteta e designer Eileen Gray sem o seu consentimento.

claro, isso toma muito mais tempo do que simplesmente escrever de uma maneira acadêmica, mais direta.

Como num filme também, podemos dizer, essa espécie de percurso que adentra o edifício.

BC: No caso de Le Corbusier, isso faz sentido.

E em sua escrita também...

BC: Sim, exatamente, obrigada. (risos) Cabe a você dizer, mais do que a mim. Não sei exatamente como o fiz, cada vez é diferente. Descobri essa forma de escrita muito mais tarde na dissertação, quando comecei a trabalhar com o interior, mas também ao escrever a introdução sobre arquivo, sobre adentrar a casa, a Villa La Roche de Le Corbusier, e depois, dentro do arquivo. Isso veio por último... Claro, a introdução sempre vem por último.

E ao mesmo tempo eu já trabalhava nos capítulos de *Privacy and Publicity*, ou o capítulo sobre fotografia, que são muito mais anglo-saxões. O capítulo sobre a cidade é bastante convoluto também, mas tem a ver com o fato de ser o primeiro capítulo da minha dissertação, e nessa época eu ainda escrevia em espanhol e me traduzia para o inglês. E foi a última vez que fiz isso, porque é um pesadelo. Mas é claro que o espanhol é muito mais... (risos), assim como português. Por isso falo, na introdução, sobre como, na mudança do espanhol para o inglês, percebi que mudava a maneira como estava escrevendo e até mesmo a maneira como estava pensando.

Você presta muita atenção à construção do texto, mas há uma construção, em muitos livros, que acontece por meio de imagens e fotografias também...

BC: Ah, sim, eu penso por imagens. Talvez por isso eu seja muito fílmica em minha escrita. Muitas vezes tenho o raciocínio na cabeça e tenho as imagens. Começo com uma imagem e depois vou para outra. Então é como preencher o vazio entre a sucessão de imagens. Por isso há tantas imagens nesses livros.

Você aponta especificamente no filme _L' Architecture d'aujourd'hui_[31] que há uma clara separação entre o espaço ocupado por mulheres e homens, e cita Immeuble Clarté e a Villa Savoye. No apartamento Nungesser-et-Coli Street, já contando com a colaboração de Charlotte Perriand, o desenho da bancada da cozinha e da mobília sugere uma conexão com a sala, apesar de a alvenaria estabelecer um campo de visão limitado para quem está dentro. Na unidade de habitação de Marselha e no Pavilhão Suíço em Paris, também feito em colaboração com Perriand, a cozinha já possui conexões mais nítidas e generosas com os espaços de estar da casa. Você acha que a colaboração com Perriand contribuiu para tornar as divisões menos demarcadas? Ou é apenas um novo ideal de domesticidade?

BC: O que eu descobri olhando para esses filmes é que Le Corbusier chega como o protagonista da história. Nas casas que aparecem no filme, ele chega de carro, entra na casa [vindo] do exterior, e as mulheres já estão lá dentro. Não sabemos se nunca saíram, mas já estão lá dentro. Então, ele entra na casa, com sua jaqueta, e se movimenta através do espaço como se estivesse visitando-o, como se não morasse lá. Ele não tira a jaqueta, não se senta na cadeira, não relaxa. Ele sobe até o telhado e observa a vista, e é isso. E, enquanto isso, num certo momento vemos mulheres que já estão ali, com suas roupas de ficar em casa: uma saia e uma blusa. Estão subindo a rampa, as vemos por detrás. Então é como se você fosse esse _voyeur_ que vê essas mulheres subirem a rampa. Ou elas estão sentadas sob o sol, tomando sol no terraço, não estão de saída e, por outro lado, ele não interage com elas. Então essa foi, para mim, a pergunta, ao olhar para a fotografia muitas vezes. Não é que as

---

31   Filme de Pierre Chenal, de 1930, que conta com Le Corbusier no elenco.

mulheres não estão na sala de estar. É claro que estão. Estão na sala, no terraço, na cozinha, em todos os espaços da casa. A casa está sob seu domínio, e os homens vêm e vão.

Para piorar, Le Corbusier fala dos habitantes da casa como visitantes. Nesse sentido, ele fala apenas dos homens, os homens são os visitantes. A mulher mora lá com as crianças, sentada no terraço etc. Quando olhamos as fotos do *Immeuble Clarté*, de novo, são fotos no terraço. E você vê homens conversando no terraço. E quando entra as mulheres estão do lado de dentro. E as crianças? Num certo ponto, há uma criança no terraço também, mas essa divisão de gênero entre o que está dentro e o que está fora é que acho interessante. Foi Frank Lloyd Wright quem primeiro abriu a cozinha para a sala. Existe toda uma tradição dessa arquitetura moderna e dessa evolução de conectar a cozinha com a sala de estar,[32] também no sentido de ver o que as crianças estão fazendo, não?

Le Corbusier também fala sobre a casa moderna como uma casa na qual não há mais necessidade de empregados. Fala disso o tempo todo. Quando ele faz, por exemplo, a Villa Jaoul. Mas isso não é verdade. Porque, naquela época, imagine fazer a Villa Savoye, ou a Villa Stein. Todas essas pessoas eram muito ricas e tinham a garantia de ter empregados. Mas Le Corbusier continua falando como se na casa moderna não precisassem. A casa toda é aberta e a mulher da cozinha (ele nunca diz o homem da cozinha) pode ver se as crianças estão bem. Então a cozinha é, de muitas maneiras, uma sala de controle. Por um lado, você está presa; por outro, é a senhora da casa, uma posição poderosa, você pode ter o controle de tudo.

---

32   Realizado em 1926, pela arquiteta Margarete Schütte-Lihotzky, um dos projetos mais emblemáticos que se propõe a redesenhar o espaço da cozinha é a chamada Cozinha de Frankfurt. A proposta foi pensada para que as donas de casa pudessem passar menos tempo na cozinha, otimizando seus movimentos de acordo com uma distribuição eficiente dos eletrodomésticos e armários.

Nesse sentido Kate Nesbitt, em *Uma nova agenda para arquitetura*,[33] aponta que o feminismo, após 1960, é um novo paradigma na teoria da arquitetura. Você concordaria com isso? De algum jeito, questões de gênero percorrem muitos de seus ensaios. Mas, na maior parte do tempo, você não os endereça especificamente. Você acha que isso tem algo a ver com essa mudança de paradigma? Se é uma mudança de paradigma, como afetou as práticas pedagógicas e de design?

BC: Eu as endereço diretamente, mas de um jeito diferente. Um de meus livros mais importantes, que continua vendendo como *cupcakes*, é o *Sexuality and Space*,[34] que foi uma conferência que organizei na Universidade de Princeton em 1990. Todas as exposições anteriores e conferências foram sempre sobre mulheres na arquitetura, gênero na arquitetura, mas *Sexuality and Space* tem uma abordagem muito mais complexa, na qual não estamos falando apenas de gênero, mas de sexualidade. E não só de heterossexualidade, mas a questão que esses ensaios abordam, que é sobre espaços lésbicos, gays. Mesmo na introdução, falo do espaço universitário. Naquele ano, pela primeira vez, Princeton permitiu levar em consideração parceiras e parceiros de estudantes do mesmo sexo. Antes isso só ocorria se você fosse casado, e claro, com uma pessoa de outro sexo. Assim você tinha direito a seguro de saúde, a usar a biblioteca etc. De repente, começaram a dar espaço, e pensei: "Isso também é uma transformação arquitetônica". Universidades são como arquitetura, é sobre quem entra e quem não, sobre quem é admitido, existe um elemento muito espacial. Esse livro [*Sexuality and Space*] não foi apenas lido no campo da arquitetura, mas em muitos outros como história da arte, cinema, estudos culturais, teoria audiovisual etc. E continua a ser lido como um trabalho pioneiro na arquitetura porque mudou o discurso, por

---

33 NESBITT, Kate (org.). *Uma nova agenda para a arquitetura*. São Paulo: Cosac Naify, 2015.

34 COLOMINA, Beatriz (org.). *Sexuality and Space*. Nova York: Princeton Papers on Architecture, 1992.

não simplesmente pensar sobre mulheres na arquitetura, o que eu acho muito importante, mas por colocar em debate a maneira pela qual pensamos sobre o *gênero de um espaço*.

Recentemente voltei a esse tema, que é um dos meus projetos contínuos, que é chamado, entre outras coisas, de "With or without you: the ghost of modern architecture".[35] Talvez já o tenham lido, foi um catálogo do Museu de Arte Moderna de Nova York (MoMA). Recebeu muitas críticas porque não queriam mostrar mulheres artistas, muito menos arquitetas, então organizaram uma grande conferência que durou dois dias. Todas as palestras eram sobre arte, artistas mulheres etc. Só chamaram uma mulher do campo da arquitetura para conversar: eu. E eu falei sobre Eileen Gray e toda a história com Le Corbusier.

Quando faziam o livro, disse: "Olha, eu participo se vocês convidarem outras arquitetas para contribuir". Então convidaram outras duas, mas não fizeram um esforço muito grande.

Então, naquele artigo eu não escrevi sobre Eileen Gray, mas sobre outra questão, muito importante para mim, que é a das colaborações. O que nos leva à questão da maneira como as mulheres são creditadas. Sabe? Você é o "com" e não o "sou". Comecei a pensar sobre essa questão da colaboração na arquitetura, de como muitas mulheres na verdade são parte da história da arquitetura moderna. De Charlotte Perriand, Lilly Reich e todas essas arquitetas do começo do século XX que eram tão importantes. Margaret MacDonald, que trabalhou com Mackintosh. Quem conhece Margaret MacDonald hoje em dia? Todo o mundo conhece Mackintosh. Ele próprio passou a vida dizendo: "Sou um homem comum, ela que é uma gênia". Por que ele diria isso? Temos de olhar para trás, olhar séculos para trás. Se voltarmos para a virada do século, temos uma revista que descobri recentemente, em Viena, que escrevia sobre essa arquiteta ruiva, que havia chegado e era muito talentosa. É engraçado, eles não têm o menor problema em dar

---

35   COLOMINA, Beatriz. With or Without You: the Ghost of Modern architecture. In: BUTLER, Connie (ed.); SCHWARTZ, Alexandra. *Modern Women*: *Women Artists at The Museum of Modern Art*. Nova York: The Museum of Modern Art, 2010.

todo o crédito a ela em vez de Mackintosh, pelo menos na virada do século. Então, progressivamente, ao longo da história, fomos apagando-a até o ponto em que agora perguntamos aos estudantes e claro que conhecem Mackintosh, mas Margaret MacDonald ninguém conhece. Porque tudo o que ela fez foi atribuído a ele.

Esta manhã fui ao Masp e vi a exposição das artistas mulheres,[36] e vi essas histórias devastadoras. Estão falando de 1500, 1600, e de mulheres que eram muito talentosas, mas seus trabalhos foram atribuídos a seu primo, ou irmão que tem o mesmo nome. Porque se fosse uma mulher não poderia servir para nada, certo? Então, esses casos de interpretação errada são muito nítidos e violentos. E sobre colaboração, é fascinante que se exponham muitos casos no Renascimento em que essa questão da autoria era invertida: a mulher é a artista e seu marido, que também é um artista, é o ajudante, o assistente.

Mas no século XX temos também pela primeira vez esses "acoplamentos".[37] Eu os chamo assim quando são colaborações que também são relacionamentos íntimos. Como os Eames, Allison e Peter Smithson, Denise Scott Brown e Robert Venturi etc. E mais tarde Enric Miralles, Carme Pinós e muitos outros. Só queria apontar para o fato de que não são apenas mulheres arquitetas [que não recebem o devido crédito], porque se procurarmos arquitetas solteiras não encontraremos muitas, sempre fazem parte de uma colaboração. Por quê? Não é porque não sejam boas o suficiente, mas porque arquitetura é sempre colaborativa. Sempre foi colaborativa.

É uma decisão da nossa sociedade insistir numa figura única, no gênio isolado, a não dar crédito a todas as forças que se unem para construir um edifício, incluindo os trabalhadores, paisagistas. Por muitos anos não creditamos ninguém. Nem mesmo os engenheiros, que dirá paisagistas e designers. Agora começamos

---

36   Exposição *História das mulheres: artistas até 1900* que aconteceu no Museu de Arte de São Paulo em 2019, com curadoria de Julia Bryan-Wilson, Lilia Schwarcz e Mariana Leme. A mostra contou com trabalhos realizados por mulheres de vários lugares do mundo entre o século I ao XIX.

37   No original: *couplings.*

a reconhecer que é uma profissão complexa, muito mais do que fazer filmes, na qual o privilégio de uma figura isolada não faz o menor sentido. Ao fim dos filmes, pelo menos, eles creditam todos. Claro que diretores e protagonistas são destacados, e tudo o mais, mas ainda vemos quem fez a maquiagem, o cabelo, as refeições, ou mesmo apareceu no filme por uma fração de segundo. Na arquitetura ainda estamos na Idade Média. Existe *uma* pessoa.

Mesmo em casos como o OMA, que saíram desse caminho e disseram "Chamarei meu escritório de *Office for Metropolitan Architecture*",[38] se você falar com Rem [Koolhaas], ele diz que desde o começo insistia, quando dava uma entrevista, que não era Rem, mas *Office for Metropolitan Architecture* e lia "Rem Koolhaas". É muito mais fácil identificar um homem em vez de Madelon Vriesendorp, Elia e Zoe Zenghelis, em vez de identificar as quatro pessoas que eram parte do escritório, certo? O privilégio de uma figura única também é um problema do nosso tempo.

Desde que você começou a apontar essas questões relativas ao lugar das mulheres na arquitetura até hoje, algumas coisas mudaram. É diferente dizer essas coisas agora?

BC: Sim, acho que um sinal do que de mais progressista vem acontecendo agora é liderado por estudantes. Aconteceu quando fui dar uma palestra em Harvard, convidada não pelo corpo docente, mas por estudantes. Eu já estive lá muitas vezes, falando sobre outros assuntos, a convite do corpo docente, mas neste caso em particular falei sobre gênero na arquitetura, a convite das estudantes mulheres. Isso foi no início do movimento *#MeToo*[39] e cheguei lá no mesmo dia em que elas haviam feito uma lista de todos os professores e arquitetos que fizeram coisas absurdas. E nessa lista estavam muitos que davam aula em Harvard. Então eu estava lá, dando uma palestra à noite a esse grupo de mulheres, e o auditório

---

38 Escritório para Arquitetura Metropolitana.
39 Movimento mundial que teve início em 2017, principalmente nas mídias sociais, em que foram denunciados casos de assédio e agressões sexuais.

estava cheio, mas quase ninguém do corpo docente estava lá. Por quê? Porque estavam numa reunião pensando sobre como lidar com as acusações de assediar mulheres nas mídias sociais. O que fazem fazem com frequência, aqui também, mas, você sabe, nos calamos por muito tempo.

Eu poderia dizer que no Brasil é muito diferente. Lina Bo Bardi chegou aqui e pôde fazer o Masp. É um edifício grande. Eu tenho a impressão de que no Brasil vocês sempre reconheceram a falta de arquitetas. Alguém estava me contando sobre uma engenheira incrível – Georgia Louise Harris Brown![40] Ela atuava em Chicago e havia estudado com Mies [van der Rohe] e trabalhava para o engenheiro favorito dele. Ela quem fez o cálculo estrutural dos apartamentos de *Lake Shore Drive*[41] de Mies em Chicago. Em um dado momento, nos anos 1950, ela disse: "Vou me mudar para o Brasil, porque lá, além de mulher e negra, poderei ser uma arquiteta." Então, veio a São Paulo, em 1953, e abriu seu escritório. Projetou casas, prédios de escritório, fábricas e até mesmo um aeroporto.

Na Itália ninguém teria dado um emprego a Lina. Quero dizer, ela trabalhava com Gio Ponti, mas era Pietro Maria Bardi que tinha a comissão oficial. Ela se mudou para cá e, claro, criaram confusão. Houve essa história de que ela não podia dar aula na FAU, todas essas coisas horríveis. Não foi fácil, mas definitivamente dez vezes mais fácil do que [teria sido] na Itália, entende?

---

40   Na sequência de Beverly Lorraine Greene, é considerada a segunda mulher negra a obter uma licença para praticar arquitetura nos Estados Unidos e a primeira a obter um diploma pela faculdade de arquitetura da Universidade do Kansas. A arquiteta morou no Brasil por aproximadamente quarenta anos. Para além das dezenas de casas, algumas das fábricas que projetou no Brasil incluem a fábrica da marca de carros Jeep e a fábrica da Kodak. Após seu período no país, a arquiteta retornou aos Estados Unidos, onde se aposentou e passou o fim da vida.

41   Nome da rua onde está localizado o projeto de torres de apartamentos de Mies van der Rohe, que também dá nome ao conjunto de edifícios, inaugurado em 1951.

A gente também tem outros exemplos nossos, como a Carmen Portinho...

BC: Sim, eu conheci a Carmen Portinho na Bahia no primeiro ano que vim ao Brasil. Ela falava comigo e estava bastante positiva, me contava de todos esses edifícios que tinha feito e eu pensava: "Uau, olha só para ela! Ela tem 90 anos de idade e está bebendo cachaça". Ela começou a beber cachaça com vinte anos porque ia para as obras e os trabalhadores não a levavam a sério, então começou a beber com eles e, de repente, era uma deles. Tinha vinte anos e estava projetando edifícios. Isso não acontece na Europa, eu te digo, isso acontece aqui. Você disse que ela não foi reconhecida até muito depois, mas ela fez uma quantidade enorme de edifícios. É só isso que as mulheres querem, querem fazer coisas. E não ter negada a possibilidade de fazê-las. Ontem reconheceram essa incrível paisagista...

Rosa Kliass.[42]

BC: Sim. Foi lindo vê-la lá, muito comovente. Eu acho que vocês estão à frente do jogo.

---

42   Rosa Kliass, primeira mulher premiada com o Colar de Ouro do IAB (honraria nacional concedida desde 1967 pela entidade) na noite anterior a essa entrevista, aos 87 anos de idade.

Fontes, personagens e olhares: diálogos brasileiros com a obra de Beatriz Colomina

Posfácio por Sabrina Studart Fontenele Costa

FONTES, PERSONAGENS E OLHARES

Os textos de Beatriz Colomina circulam em inglês e espanhol entre pesquisadores no Brasil há mais de duas décadas. Entre a discussão sobre os recursos retóricos das narrativas da arquitetura moderna, análises segundo a cultura visual e questões sobre as parcerias entre os profissionais, é curioso observar que até 2021 somente um texto da autora foi traduzido para o português. Mostra-se entusiasmante ter estes três capítulos disponíveis em um momento em que reivindicações feministas, assim como a discussão de gênero e sexualidade de forma mais ampla, ganham força entre estudantes, professores, pesquisadores e profissionais. São textos que propõem novas possibilidades de ação e revisão de narrativas sobre arquitetura e urbanismo com base em novas fontes de pesquisa, em descobertas em acervos desconhecidos ou ignorados e de novas análises sobre os discursos construídos. Apresentaremos aqui os interlocutores das discussões promovidas por Beatriz Colomina e o alcance de suas ideias no contexto brasileiro.

Em 2009, por ocasião da oitava edição do encontro do Docomomo,[1] na cidade do Rio de Janeiro, assisti a uma palestra de Beatriz Colomina sobre publicidade e arquitetura moderna que foi marcante pela articulação entre suas ideias, com uma série rica de imagens. Anos depois, durante minha pesquisa de pós-doutorado no Instituto de Filosofia e Ciências Humanas da Universidade de Campinas (IFCH-Unicamp), seus textos sobre domesticidade moderna, sexualidade, invisibilidades historiográficas e mídias foram fundamentais para propor uma pesquisa que buscava compreender os discursos e práticas da habitação defendida pela arquitetura vinculada ao movimento moderno pela perspectiva das moradoras e objetivando uma revisão dessas práticas. Nos últimos anos, os artigos e livros de Colomina estão presentes nas disciplinas de pós-graduação das faculdades

---

1   Trata-se de uma organização internacional para Documentação e Conservação dos edifícios, sítios e conjuntos do Movimento Moderno (*Documentation and Conservation of Buildings, Sites and Neighborhoods of the Modern Movement*).

de arquitetura e urbanismo, em grupos de estudos e eventos acadêmicos que discutem, sob a perspectiva de gênero e da cultura visual, novos olhares para o campo profissional.

O estudo da arquitetura e sua relação com a vida cotidiana, com as relações de gênero e a produção cultural do período tem estimulado os pesquisadores a buscar novas fontes de estudo e a ampliar a análise sobre suas ideias e realizações. Neste sentido, Beatriz Colomina expressa em diversos textos esse movimento ao ampliar o entendimento da historiografia sobre arquitetura e urbanismo e incorporar a análise da relação entre crítica, curadoria, fotografia e outros campos profissionais com a arquitetura, assim como as dinâmicas que aconteciam nos ateliês e escritórios para compreender o desenvolvimento, a construção e difusão das propostas.

Esta proposta de revisão da história da arquitetura tem ganhado força nas últimas décadas e sido levada à frente por diversos autores e pesquisadores, especialmente de diferentes geografias. A arquiteta e professora Zaida Muxí, em seu livro *Mujeres, casas y ciudades*, afirma que a construção heroica da história deixa de fora a dimensão coletiva de seus processos, as pessoas associadas e colaboradoras. O herói não pode ter dúvidas nem errar; suas vivências, origens e rede de colaboração muitas vezes são escondidas em busca de reforçar seus exemplos bem-sucedidos em uma experiência solitária. Esses mecanismos gerais de construção da história, que fomentam o mito da criação, tendem a legitimar especialmente as figuras masculinas.[2]

Enquanto os estudos sobre parcerias e colaborações estão ganhando fôlego na última década no campo da arquitetura, no campo das artes têm sido explorados por pesquisadoras há mais tempo. Whitney Chadwick e Isabelle de Courtivron reúnem uma série de parcerias artísticas no livro *Amor e arte: duplas amorosas e criatividades artísticas* e defendem a ideia de que "o casal é apenas um entre as muitas configurações de companheirismo humano, o

---

2   MUXÍ MARTINEZ, Zaida. *Mujeres, casas y ciudades*. Barcelona: DPR-Barcelona, 2018, p. 263.

que inclui círculos de amigos e amantes que não se reduzem facilmente aos pares"[3]. No livro, são enfatizadas duplas com parcerias sexuais, amorosas e criativas, em que novos papéis são inventados e antigos negociados, enquanto conceitos como autonomia, autoria, compromisso e sucesso são repensados. No Brasil, o livro *Criações compartilhadas: artes, literatura e ciências sociais*,[4] organizado por Ana Paula Simioni, Claudia Oliveira, Joelle Rouchou e Monica Velloso, também apresenta duplas de artistas cujas mulheres, em geral, permaneceram sombreadas pela carreira de seus companheiros. Simioni, uma das organizadoras, desde sua pesquisa de doutorado – publicada no livro *Profissão artista*[5] – investiga os motivos de um número tão baixo de artistas ter sido apresentado na historiografia das artes do início do século XX. A pesquisadora e docente vem formando gerações de pesquisadores do Instituto de Estudos Brasileiros (IEB) interessados em trazer à tona mulheres invisibilizadas nas últimas décadas. Essas pesquisas saem dos limites da vida acadêmica e ganham força na medida em que se desdobram em exposições como *Mulheres artistas: as pioneiras (1880-1930)* em 2015 e *Mulheres radicais: arte latino-americana, 1960-1985* em 2018, realizadas na Pinacoteca do Estado de São Paulo.

Em 2010, o Museu de Arte Moderna de Nova York realizou uma grande exposição sobre mulheres artistas modernas: *Modern Women: Women Artists at the Museum of Modern Art*. No catálogo publicado, o texto que tratava das arquitetas foi assinado por Beatriz Colomina[6] e apresenta a maneira como algumas dessas mulheres

3 CHADWICK, Whitney; COURTIVRON, Isabelle de (orgs.). *Amor e arte: duplas amorosas e criatividade artística*. Rio de Janeiro: Jorge Zahar, 1995, p. 11.
4 SIMIONI, Ana Paula Cavalcanti; OLIVEIRA, Cláudia de; ROUCHOU, Joelle; VELLOSO, Monica Pimenta (orgs.). *Criações compartilhadas*: artes, literatura e ciências sociais. Rio de Janeiro: Mauad, Faperj, 2014.
5 SIMIONI, Ana Paula Cavalcanti. *Profissão artista*: *pintoras e escultoras acadêmicas brasileiras*. São Paulo: Edusp/Fapesp, 2008.
6 COLOMINA, Beatriz. With, or without you: the ghosts of modern architecture. In: BUTLER, Cornelia; SCHWARTZ, Alexandra (org.). *Women Artists*. Nova York: MoMA, 2010.

foram tratadas pela historiografia, enfatizando a relação de hierarquia diferenciada que se estabelece entre o "com" e o "e". Enquanto o "com" propõe graus diferentes de relação, o "e" reforça a ideia de parcerias mais próximas, em pé de igualdade entre seus componentes. Neste mesmo texto,[7] ela apresenta uma série de parcerias entre profissionais que precisam ser investigadas de maneira profunda e aponta as trocas de ideias entre homens e mulheres ao longo das diferentes trajetórias profissionais.

Ainda sobre mulheres e parcerias, ganha repercussão o texto de Denise Scott Brown apresentado na década de 1970, publicado em 1989, que trata da visão sobre as arquitetas no campo profissional. Ela discorre sobre o apagamento de sua autoria mesmo em obras em que atuou como a responsável, além da invisibilidade como arquiteta em eventos como jantares, exposições, publicações e entrevistas. Nesta ocasião, realizou uma forte crítica ao *star system* da arquitetura – sistema no qual poucos escolhidos são elevados ao patamar de gênios solitários – que, em sua opinião, "entende o escritório como uma pirâmide com um designer no topo" e "tem pouco a ver com as relações complexas que existem hoje na arquitetura e na construção"[8]. Sua fala foi publicada somente em 1989 com o título *Room at the Top? Sexism and the Star System in Architecture* no livro *Architecture: a place for women*, organizado por Ellen Perry Berkeley e Matilda McQuaid.

O texto foi retomado e ganhou ainda mais destaque quando, em 2012, Arielle Assouline-Lichten e Caroline James, estudantes da Faculdade de Design de Harvard, lançaram uma petição online pelo reconhecimento de Scott Brown pelo Comitê do Pritzker

---

7   Na entrevista publicada neste livro, Beatriz Colomina revela a discussão em torno da presença das mulheres arquitetas na exposição promovida pelo MoMA.

8   SCOTT BROWN, Denise. Room at the top? Sexism and the star system in architecture. In: BERKELEY, Ellen Perry; MCQUAID, Matilda (orgs.). *Architecture*: a Place for Women. Washington: Smithsonian Institution Press, 1989, p. 240.

de 1991. Robert Venturi foi agraciado com o prêmio individualmente, apesar da notória parceria com Scott Brown, que, além de sócia do escritório e responsável por diversos projetos, era sua esposa. Hoje, o caso é amplamente conhecido, uma vez que a petição causou comoção em favor de Scott Brown e estimulou o questionamento sobre a invisibilidade feminina.

Uma primeira tentativa de apresentar o perfil e a produção das mulheres na arquitetura ocorreu ainda na década de 1970 na exposição *Women in American Architecture: a Historic and Contemporary Perspective*, realizada pela arquiteta Susana Torre em 1976-1977, no Museu do Brooklin, em Nova York, e organizada pela Liga das Mulheres de Nova York pelo Arquivo de Mulheres na Arquitetura, constituído em 1973, que reconheceu e ordenou os dados bibliográficos e projetos de mulheres profissionais. Torre foi ainda responsável pela curadoria, organização e publicação da revista feminista *Heresies*, que entre outras preciosidades apresenta em 1981 um volume com a temática da casa sob a perspectiva feminista: *Making room – women and architecture*. Com artigos de Dolores Hayden, Gwendolyn Wright, Charlotte Gilman Perkins, entre outras pesquisadoras fundamentais para abertura do campo da arquitetura sob uma perspectiva feminista, a série hoje está integralmente online[9] e mostra-se como uma possibilidade de desdobramento dessas pesquisas. Nessa década de 1970, associada à segunda onda feminista, o lugar das mulheres na história, na sociedade e na cultura passa a ser reivindicado, em grande parte marcado pelo estímulo do feminismo no âmbito acadêmico.

Passadas quatro décadas, continuamos a nos perguntar onde estão as mulheres arquitetas. Esse é o título do livro de Despina Stratigakos[10] de 2016, como também o nome do seminário organizado por Catherine Othondo e Marina Grinover, depois de um

---

9   É possível acessar os números da revista no link: http://heresiesfilmproject. org/archive/.

10   STRATIGAKOS, Despina. *Where Are the Women Architects?* Nova Jersey: Princeton University Press, 2016.

edital do Conselho de Arquitetura e Urbanismo (CAU), ocorrido em 2017. Realizado no Centro Cultural São Paulo, o evento contou com a participação de arquitetas, professoras, pesquisadoras e alunas dos cursos de graduação que estavam à frente dos coletivos feministas para discutir suas experiências no campo acadêmico, político e profissional, e contou inclusive com a participação de Stratigakos como conferencista. No Brasil, somente em 2020, o primeiro censo do CAU[11] apresentou dados consistentes sobre a presença de mulheres no campo profissional demonstrando que muito ainda deve ser feito para lançar luz sobre o trabalho cotidiano dessas profissionais que são maioria nos cursos de arquitetura e urbanismo, mas ainda se sentem pouco representadas e têm salários menores que os dos homens. Mesmo as mulheres que aparecem com alguma regularidade nas revistas, exposições e manuais da arquitetura são frequentemente encaradas como excepcionais, pioneiras ou desbravadoras de um novo campo.

Colomina estimula a pesquisa sobre essas parcerias, seus apagamentos e sombras na história da arquitetura. Especialmente com respeito à discussão e produção da arquitetura moderna, levanta duplas como Margaret MacDonald e Charles Rennie Mackintosh, Lilly Reich e Mies van der Rohe, Aino e Alvar Aalto, além de Charlotte Perriand e Le Corbusier, que merecem estudos acadêmicos e conhecimento mais amplo, inclusive segundo novas fontes de pesquisa: memoriais de projeto, fotografias dos ateliês ou dos canteiros, trocas de correspondências, entre outros. Importante ainda chamar a atenção para o fato de que dentro dessas parcerias muitas vezes as mulheres foram relegadas a responsabilidades pela arquitetura de interiores ou pelas cozinhas, inseridas numa lógica hierárquica que entende e propaga projetos de arquitetura de interiores como uma prática de menor valor. Suas publicações colocam em evidência a necessidade de investigar a colaboração entre profissionais de diferentes áreas na

---

11   Disponível em: https://www.caubr.gov.br/wp-content/uploads/2020/08/DIAGN%C3%93STICO-%C3%ADntegra.pdf. Acesso em: 13 abr. 2023.

consolidação de narrativas e discursos que vão além da figura do gênio solitário e suas obras-primas.

No Brasil, as pesquisas de pós-graduação avançam sobre profissionais que por décadas foram apagadas. Ana Gabriela Godinho Lima tem um trabalho pioneiro realizado com base em suas pesquisas de mestrado e doutorado desenvolvidos na Universidade de São Paulo que deram origem ao livro *Arquitetas e arquiteturas na América Latina do século XX*.[12] Como docente do programa de Pós-Graduação do Instituto Presbiteriano Mackenzie, orienta pesquisas que investigam espaços e trajetórias profissionais sob a perspectiva de gênero. Já Silvana Rubino (2017) explorou em sua pesquisa de livre-docência no IFCH-Unicamp[13] a trajetória de três arquitetas: Charlotte Perriand, Lina Bo Bardi e Carmen Portinho. A antropóloga defende que a participação feminina no movimento moderno demanda investigações no âmbito da sociologia da cultura, história social, cultura visual, história da arquitetura e cultura material tendo como foco o papel das relações de gênero na produção de objetos como mobiliário, projetos arquitetônicos e planos de cidade. A pesquisa de Rubino demonstra como as trajetórias dessas três profissionais foram muitas vezes sombreadas na historiografia da arquitetura em função das dinâmicas dos escritórios de arquitetura e do funcionalismo público, como também da presença masculina de outros profissionais e parceiros que ganhavam mais destaque nos trabalhos realizados de maneira conjunta. Rubino, em diálogo direto com as questões levantadas por Colomina, defende que a presença feminina se revela como uma lacuna historiográfica que se apresentou como constitutiva do campo.

Compreender a participação dos diversos profissionais no processo de criação, desenvolvimento e execução dos projetos de arquitetura não é só uma questão de justiça ou precisão histórica,

---

12   LIMA, Ana Gabriela Godinho. *Arquitetas e arquiteturas na América Latina do século XX*. São Paulo: Altamira, 2013.

13   RUBINO, Silvana Barbosa. *Lugar de mulher*. Tese (Livre-docência) – Instituto de Filosofia e Ciências Humanas da Universidade de Campinas, Campinas, 2017.

mas uma maneira mais complexa de interpretar e narrar a arquitetura e suas práticas. A formulação de novas indagações e a realização de pesquisas com base em novas fontes e outros acervos possibilitam a revisão de trajetórias de profissionais e a análise de obras até então consideradas "menores" segundo as hierarquias simbólicas implícitas. Considerando que não há trabalho menos relevante e que todos devem ser nomeados e valorizados, tendo em vista que existem diferentes formas de participação no sistema de elaboração dos projetos, fragiliza-se a ideia da figura única em destaque, ou seria possível desconstruir, como afirmaria Denise Scott Brown, a representação da estrutura piramidal dos escritórios de arquitetura, como também do campo profissional.

O uso de novas fontes permite compreender a construção de uma historiografia mais ampla, entre as quais é possível analisar a relação entre a crítica, a curadoria, a fotografia e outros campos profissionais com o da arquitetura, assim como as dinâmicas dos ateliês e escritórios em suas especificidades de função e atuação – do desenho à engenharia, dos aprendizes e auxiliares à coordenação –, como também nos canteiros para compreender o desenvolvimento, a construção e difusão de uma proposta. Colomina – no texto *Collaborations: The Private Life of Modern Architecture*[14] – já apontava as novas possibilidades de estudo ao lado de outros campos de investigação que poderiam ajudar a desvendar aquilo que denominou "a vida privada da arquitetura moderna". Entender e apresentar como funcionam essas estruturas colabora para pensar novas formas de atuar tanto na academia quanto nas práticas profissionais.

Nesta revisão historiográfica, é fundamental investigar as relações estabelecidas entre profissionais da arquitetura e clientes, explorando o processo de colaboração e negociação para as decisões de programa e desenho. Até pouco tempo subestimadas ou lembradas como interações com agentes que financiavam a

---

14   COLOMINA, Beatriz. Collaborations: the private life of modern architecture. *Journal of the Society of Architectural Historians*, v. 58, n. 3, p. 462-71, set. 1999.

genialidade do arquiteto ou até mesmo de maneira anedótica, as relações entre clientes e profissionais podem revelar as forças de atuação e negociação do campo profissional. Sylvia Lavin[15] estudou a obra do arquiteto Richard Neutra e demonstra como ele tratava seus clientes de maneira minuciosa e buscava conhecer suas rotinas, seus hábitos e interesses assumindo muitas vezes o papel de terapeuta na construção do lar. Já a pesquisadora americana Alice Friedman vem se dedicando ao tema desde sua pesquisa de doutorado e ganhou notoriedade pelo livro *Women and the Making of Modern Houses*,[16] que avança nas pesquisas ao adotar uma perspectiva de gênero para analisar seis casas de vanguarda da arquitetura moderna. Segundo Friedman, as clientes mulheres podem pensar novas formas de domesticidade e de alteração das casas, seja pelo uso de materiais, seja pela organização dos espaços e dos interiores. No livro, a autora consultou correspondências, diários, memórias, gravou entrevistas e demonstrou o papel crucial das clientes na realização e concepção dos projetos. No Brasil, entre os trabalhos que buscam analisar a relação entre profissionais da arquitetura e clientes, destacam-se as pesquisas da professora da Faculdade de Arquitetura e Urbanismo da Universidade de São Paulo (FAU-USP) Joana Mello Silva sobre encomendas de arquitetura moderna em São Paulo, e da professora da FAU-USP Flavia Brito do Nascimento, que investiga a memória dos moradores e das moradoras nos conjuntos habitacionais e a relação com o processo de patrimonialização deles.

Essas investigações dialogam diretamente com as considerações da historiadora francesa Michelle Perrot[17] quando afirma que o desafio de pesquisar as mulheres comuns está na dificuldade de encontrar vestígios materiais que possam ser considerados fontes históricas, como correspondência, diários íntimos, autobiografias,

---

15   LAVIN, Sylvia. *Form follows libido: architecture and Richard Neutra in a psychoanalytic culture*. Cambridge: The MIT Press, 2004.
16   FRIEDMAN, Alice T. *Women and the Making of the Modern House: A Social and Architectural History*. New Haven: Yale University Press, 2006.
17   PERROT, Michelle. *Minha história das mulheres*. São Paulo: Contexto, 2006.

declarações de amor e objetos pessoais. Muitos desses rastros foram apagados, destruídos ou desprezados, muitas vezes por elas mesmas.

Em diversos artigos, inclusive nos que estão aqui reunidos, Colomina aponta para as casas como o lugar da clientela feminina, espaço de investigação de territórios masculinos e femininos, de controle dos corpos, de intimidade e de libido. Desde a década de 1960, com a proposta da Escola dos Annales, a casa passa a compor a nova gama de investigações históricas, revelando informações sobre a sociedade, o convívio entre membros dos grupos familiares, empregados e convidados revelando organizações, ambições, submissões e revoluções. A aproximação dos estudos da arquitetura por meio da antropologia, da história cultural e das mentalidades foi fundamental para lançar questões de outra ordem para as pesquisas sobre habitação.

Os textos de Colomina dialogam diretamente com a análise visual possibilitada pelas pesquisas em acervos de arquitetura, mas não somente nestes. Revistas não especializadas, registros documentais nos acervos de museus, anúncios de jornal, campanhas televisivas são fontes documentais com enorme potencial, por muito tempo ignoradas pelo rigor científico, que ampliam as possibilidades de investigação.

No Brasil, o livro da historiadora Vânia Carvalho *Gênero e Artefato: o sistema doméstico na perspectiva da cultura material – São Paulo, 1870-1920*[18] apresenta a possibilidade de analisar, sob uma perspectiva de gênero aliada à cultura visual, a organização espacial e material do sistema doméstico das elites paulistanas entre 1870 e 1920. Para tanto, utiliza como fontes de pesquisa revistas ilustradas, anúncios, textos literários e registros fotográficos presentes no acervo do Museu Paulista. As leituras sobre espaços e objetos associados ao masculino e ao feminino foram marcantes e influenciaram diretamente pesquisadores que buscavam novas

---

18   CARVALHO, Vânia Carneiro de. *Gênero e artefato: o sistema doméstico na perspectiva da cultura material – São Paulo, 1870-1920*. São Paulo: Edusp/Fapesp, 2008.

perspectivas historiográficas para trabalhar os suportes materiais da vida privada e distintos usos, estruturas e significados.

Quando, em 2014, o primeiro Seminário *Domesticidade, gênero e cultura material* foi organizado pelo Centro de Preservação Cultural da Universidade de São Paulo (CPC-USP), pela FAU-USP e pelo IFCH-Unicamp, foram reunidos pesquisadores e docentes nacionais e estrangeiros para apresentar seus trabalhos sob essa perspectiva em comum. Após as discussões estimuladas no evento de três dias, foi publicado o livro homônimo em 2017 com a organização das professoras Joana Mello, Flávia Brito do Nascimento e Silvana Rubino, e do professor José Lira,[19] cuja bibliografia dos capítulos articulava arquitetura e gênero e dialogava diretamente com as propostas de Beatriz Colomina. O prefácio de Mônica Junqueira[20] assume a habitação como objeto de especulação formal, programática e técnica de profissionais da arquitetura ao longo dos tempos. Ao apresentar o contexto da difusão do *American way of life*, aproxima-se dos estudos de Colomina no livro *Domesticity at War*[21] que associam a consolidação da arquitetura moderna nos Estados Unidos aos materiais e às técnicas desenvolvidos durante a Segunda Guerra Mundial e, em seguida, às narrativas e à divulgação dos modos de morar como estratégia de batalha durante a Guerra Fria. O texto de introdução dos organizadores reafirma as possibilidades de leitura da produção arquitetônica atentas ao lugar dos clientes e ao exame minucioso dos espaços de controle e intimidade, racionalidade e libido nos projetos habitacionais, utilizando entre as referências para estas propostas de investigação os textos do livro *Sexuality and Space*,[22] organizado por Beatriz Colomina, e cujo

19   NASCIMENTO, Flávia Brito do; LIRA, José Tavares Correia de; RUBINO, Silvana Barbosa; SILVA, Joana Mello de Carvalho e (orgs.). *Domesticidade, gênero e cultura material*. São Paulo: CPC, Edusp, 2017.
20   CAMARGO, Mônica Junqueira. Domesticidade, gênero e materialidade: novos desafios. In: NASCIMENTO, Flávia Brito do; LIRA, José Tavares Correia de; RUBINO, Silvana Barbosa; SILVA, Joana Mello de Carvalho e (orgs.). *op. cit.*, p. 9-26.
21   COLOMINA, Beatriz. *Domesticity at War*. Cambridge: MIT Press, 2007.
22   COLOMINA, Beatriz (org.). *Sexuality and Space*. Nova Jersey: Princeton Architectural Press, 1992.

capítulo de sua autoria é um dos textos que compõem este livro. A segunda edição do evento, realizada em 2017, demonstrou o avanço das pesquisas nos programas de pós-graduação das universidades brasileiras. Não só o número de inscritos e interessados havia aumentado consideravelmente, mas também os temas e objetos demonstravam o interesse em pesquisas que tratavam das questões de gênero e domesticidade no âmbito da cultura material, do consumo e das experiências sociais de seus moradores.

Outras frentes de trabalho e de pesquisa – algumas fora do âmbito acadêmico – ou de grupos de movimentos sociais têm realizado inventários de nomes de profissionais pela perspectiva de raça e gênero de maneira que garanta representatividade a grupos até então relegados. São exemplos as pesquisas de coletivos como as das *Arquitetas Invisíveis* (coordenado por Gabriela Farinasso, Hana de Andrade, Julia Solé, Lara Vieira e Luiza Coelho), *Arquitetas Negras* (coordenado por Gabriela de Matos), *Arquitetas e Arquitetos Negros pelo Mundo* (coordenado por Gabriela Leandro Pereira) e *Arquitetura Bicha* (coordenado por Clevio Rabelo) que têm mobilizado discussões importantes no campo mediante debates públicos, publicações e exposições.

Por todas as regiões do Brasil, as mulheres arquitetas se organizaram para montar grupos e assumir a frente das principais entidades nacionais da profissão. Em 2021, Nadia Somekh assumiu a presidência do Conselho de Arquitetura e Urbanismo (CAU), Maria Elisa Batista preside o Diretório Nacional do Instituto dos Arquitetos do Brasil (IAB-DN), Eleonora Mascia preside a Federação Nacional dos Arquitetos (FNA), enquanto Ana Maria Reis de Goes Monteiro comanda a Associação Brasileira dos Escritórios de Arquitetura (ABEA) e Luciana Schenk conduz a Associação Brasileira de Arquitetos Paisagistas (ABAP). A presença dessas mulheres à frente dos cargos de liderança não é uma coincidência, mas uma ação política por mudanças claras. Em diversos estados do Brasil (São Paulo, Santa Catarina e Mato Grosso do Sul), foram formadas chapas compostas integralmente por arquitetas, o que garantiu a incorporação de um número expressivo de conselheiras na composição de vagas titulares do CAU.

Na Federação Nacional de Estudantes de Arquitetura e Urbanismo do Brasil (FENEA) está à frente também a aluna Francieli Schallenberger, uma demonstração de que a liderança feminina ganha fôlego igualmente nos cursos de graduação. Assim, é importante lembrar que os coletivos feministas nos cursos de graduação das faculdades de arquitetura e urbanismo – a exemplo do Coletivo Feminista da Escola da Cidade, que em seu nome homenageia a engenheira Carmen Portinho e sua significativa atuação – são cada vez mais frequentes e incorporam em sua atuação denúncias de machismo, de assédios, ausência de representatividade e a criação de redes feministas de apoio que evidenciam a dimensão e profundidade estrutural das desigualdades e violências de nosso campo profissional. Neste sentido, muito feliz a decisão das organizadoras de lançar textos fundamentais de Beatriz Colomina que discutem e problematizam questões de gênero e sexualidade no campo da arquitetura, e seguirão servindo de referência para a abertura de novas questões de pesquisa e ensino, como também de entendimento da construção do campo profissional.

Fontes das imagens

A parede cindida: voyeurismo doméstico

1, 2, 3, 4, 6, 9, 10, 11, 12, 13, 15, 17, 18: Graphische Sammlung Albertina, Viena
7: M. Risselada. Raumplan *versus* Plan Libre, Delft University Press (1988)
8: Adolf Loos: Pioneer of Modern Architecture. L. Münz e G. Kunstler
(1966) / Editora: Frederick A. Praeger; Edição: First American Edition
(1966) / Biblioteca FAU-USP
16: A. Ozenfant, Foundations of Modern Art. Publicado por Dover
Publications Nova York (1952). Originalmente publicado em 1928
(Francês). Ozenfant, Foundations of Modern Art (1931). Fonte:
https://commons.wikimedia.org/wiki/File: Descartes_diagram.png
19, 20, 21, 22, 23, 24, 25, 26, 27, 30, 31, 32, 33, 34, 35, 36, 37, 38, 39:
Fondation Le Corbusier

O século da cama

1: Cortesia de Esther Schipper, Berlim, [foto por] © Ilona Ripke, Berlim
2: Eric Koch, National Archives of the Netherlands / Anefo
3: ©Archigram 1968. Photograph Dennis Crompton
4: PictureLux / The Hollywood Archive / Alamy Stock Photo
5: Sammlung Adolf Opel, in: Elsie Altmann-Loos, Mein Leben mit
Adolf Loos, edição e epílogo de Adolf Opel, Viena: Amalthea 2013
6, 7: Graphische Sammlung Albertina, Viena

Interioridade radical: arquitetura playboy 1953-1979

1: © Burt Glinn/Magnum/Fotoarena

Todos os esforços foram feitos para localizar os detentores dos direitos das
imagens. Caso você tenha alguma informação, por favor entre em contato
com a editora (editoradacidade@escoladacidade.edu.br). Em caso de
omissão, faremos todos os ajustes possíveis na primeira oportunidade.

Beatriz Colomina
Arquitetura, sexualidade e mídia

Organização e edição
Marian Rosa van Bodegraven e Marianna Boghosian Al Assal

Tradução
Marian Rosa van Bodegraven

Edição da entrevista Observar, descrever, questionar
Gilberto Mariotti e Ligia Zilbersztejn

Coordenação editorial
Editora Escola da Cidade

Projeto gráfico e diagramação
Núcleo de Design Escola da Cidade, Débora Filippini e Felipe Kertes

Revisão da tradução
Otacílio Nunes

Preparação
MPMB

Revisão de prova
Marisa Rosa Teixeira

Captação de áudio
Baú – Núcleo Audiovisual Escola da Cidade 2019

Impressão
Gráfica Paym

1ª edição, 2023
© 2023, Editora Escola da Cidade/Editora WMF Martins Fontes Ltda.,
São Paulo, para a presente edição.

Dados Internacionais de Catalogação na Publicação - CIP

Colomina, Beatriz.
Arquitetura, sexualidade e mídia / Marian Rosa van Bodegraven e
Marianna Boghosian Al Assal (organizadoras) – São Paulo: Editora
Escola da Cidade / Editora WMF Martins Fontes 2023. 152 p., il.

ISBN Editora Escola da Cidade: 978-65-86368-31-4
ISBN WMF Martins Fontes: 978-85-469-0462-4

1. Arquitetura. 2. Sexualidade. 3. Mídia. I. Título
CDD 720.103
Catalogação elaborada por Denise Souza CRB 8/ 9742

Este livro não pode ser reproduzido, no todo ou em parte,
armazenado em sistemas eletrônicos recuperáveis
nem transmitido por nenhuma forma ou meio eletrônico,
mecânico ou outros, sem a prévia autorização por escrito do editor.

Todos os direitos reservados à Editora Escola da Cidade e à Editora
WMF Martins Fontes.

Editora Escola da Cidade
Rua General Jardim 65 – SP
+ 55 11 32588108
editoradacidade@escoladacidade.edu.br
https://editora.escoladacidade.edu.br/

Editora WMF Martins Fontes
Rua Prof. Laerte Ramos de Carvalho 133 – SP
+55 11 32938150
info@wmfmartinsfontes.com.br
wmfmartinsfontes.com.br

Associação Escola da Cidade 2023
Alvaro Puntoni (Presidente)
Fernando Viégas (Presidente)
Marta Moreira (Presidente)
Cristiane Muniz (Diretora Conselho Escola)
Maira Rios (Diretora Conselho Escola)
Anália Amorim (Diretora Conselho Científico)
Marianna Boghosian Al Assal (Diretora Conselho Científico)
Guilherme Paoliello (Diretor Conselho Técnico)
Anderson Freitas (Diretor Conselho Ecossocioambiental)
Ciro Pirondi (Diretor Conselho Escola de Humanidades)

Coordenação de Imagem e Comunicação
Alexandre Benoit

Núcleo de Design
Celso Longo, Daniel Trench, Gabriel Dutra,
Beatriz Hinkelmann, Lilla Lescher

Editora da Cidade
Laura Pappalardo, Thais Albuquerque, Guilherme Pace

Colaboraram na produção editorial deste livro:
Fabio Valentim, Gabriella Gonçalles, Julia Pinto,
Maria Sader Basile, Marina Rago Moreira

Captação de entrevista
Baú - Núcleo Audiovisual Escola da Cidade 2019,
Clarissa Mohany, Annabel Melo

Composto em Eskorte Latin
Impresso em papel pólen 80g/m2
1500 exemplares